10|18

12, avenue d'Italie — Paris XIIIe

LA SALAMANDRE

Une enquête
d'Erwin le Saxon
en mission pour Charlemagne

PAR

MARC PAILLET

10|18

INÉDIT

« *Grands Détectives* »
dirigé par Jean-Claude Zylberstein

Si vous désirez être régulièrement tenu au courant
de nos publications, écrivez-nous :
Éditions 10/18
12, avenue d'Italie
75627 Paris Cedex 13

LA SALAMANDRE

Personnages principaux

Erwin, abbé saxon
Childebrand, comte palatin
} missi dominici

Frère Antoine, dit le Pansu
Timothée, le Grec, dit le Goupil
Doremus, ancien rebelle
} assistants des
missi dominici

Dodon, diacre
Jean
} valets de la mission

Ebles, maréchal des écuries royales
Frère Yves, clerc de la chapelle royale
} envoyés de la chancellerie
royale

Leidrade — évêque de Lyon

Eldoïnus — vicaire de Leidrade

Rothard — comte de Lyon

Marcellin, évêque — représentant de la curie pontificale

Clodoald — intendant du diocèse de Lyon

Arnold — membre de la milice de Lyon

Ammorich — gaon de la communauté juive

Nicomède — chef de la communauté des Syri

Raoul le Rouvre — saltimbanque

Lithaire — fille de Raoul le Rouvre

Lucien — fils de Raoul le Rouvre

Benoît — forgeron

Hendrik — chef de la bande des Mustelles

Judith — compagne de Hendrik

Crispo le Rouge — chef de la bande des Foustes

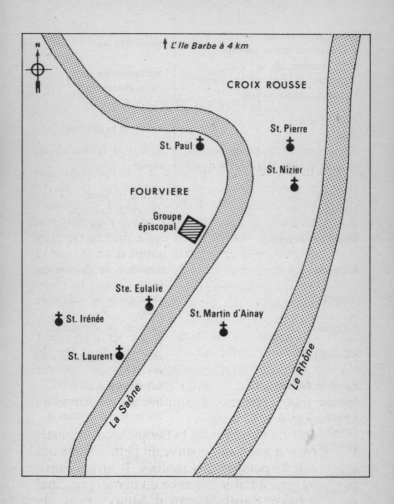

Lyon en l'an 800.

CHAPITRE PREMIER

Erwin n'avait pas emprunté le chemin pavé qui menait directement du débarcadère de l'île d'Ainay à l'entrée de l'abbaye. Pour le missus dominicus du roi Charles, abbé saxon circonspect, ce rendez-vous nocturne en cette île ressemblait par trop à un guet-apens. De temps à autre, sur la barque qui le transportait depuis la rive droite de la Saône, en compagnie de son assistant, le Grec Timothée, ce dernier avait demandé aux rameurs de cesser leur nage ; tendant l'oreille, il avait murmuré à l'intention de son maître qu'une autre embarcation se trouvait en mouvement sur la rivière. Étrange en pleine nuit... Il avait recommandé la prudence. Erwin s'était rangé à son avis, faisant toute confiance aux intuitions de Timothée surnommé « le Goupil ».

A partir de l'endroit où la barque avait accosté, l'abbé saxon avait donc suivi un petit sentier qui desservait le potager des moines. Il arriva ainsi, par le travers, à faible distance du portail principal de l'abbaye Saint-Martin-d'Ainay. Près de celui-ci, il lui sembla apercevoir une forme

sombre, à terre. S'approchant encore, il crut dis-
·tinguer comme un homme assis ou tassé sur lui-
même. Il revint sur ses pas puis, cette fois-ci en
compagnie de Timothée ainsi que de deux aides,
glaive en main, évitant les endroits que la lune,
maintenant, éclairait, il avança jusqu'au portail,
couvert par le Goupil, tous les sens en éveil.

Rien... Aucun bruit, aucune agitation suspecte.
Devant l'entrée de l'abbaye, un homme gisait,
immobile. Le Saxon fit approcher une torche. Il
éclaira la face de la victime et n'eut aucune peine
à reconnaître celui avec qui il avait rendez-vous :
le maréchal Ebles, adjoint du connétable[1] de la
cour et qui avait été chargé d'une enquête de routine à Lyon. Erwin ne put que constater sa mort ;
il avait été tué, selon toute apparence, de plusieurs
coups de dague à la poitrine. Le Saxon ordonna à
ses aides de demeurer près du corps, puis il saisit
une torche, demandant à Timothée d'en faire
autant, et il commença à inspecter les lieux du
meurtre. Suivi du Goupil, il s'engagea sur une
sente qui les mena rapidement à une plage limo-
neuse. Les herbes couchées et le sol piétiné indi-
quaient que des hommes étaient récemment
passés par ce chemin et avaient repris sur ce
rivage l'embarcation qui les avait sans doute ame-
nés à l'île d'Ainay afin de regagner la rive droite
de la Saône.

Erwin et Timothée, de retour à la porte de
l'abbaye, poursuivirent un instant leur inspection.

1. Le connétable et ses adjoints, les maréchaux, veillaient à
l'entretien des écuries royales.

C'est alors seulement qu'apparut un moine qui, avec prudence, s'approcha du Grec, et lui demanda en tremblant la cause de cette agitation. Quand ce dernier lui eut révélé à qui il avait affaire et pourquoi, le moine, après les salutations les plus humbles, se précipita pour quérir l'abbé qui était, dit-il, en prière. Le réfectoire fut mis à la disposition de l'envoyé royal Erwin et de ses aides. Le cadavre du maréchal Ebles y fut transporté.

Tandis qu'Erwin, qui avait fait dénuder la victime, observait le nombre et la disposition des blessures dont la plupart étaient fatales, Timothée remarqua que le mort serrait dans son poing gauche un morceau de parchemin. Il parvint sans peine à l'arracher à cette prise et put lire cette phrase inachevée :

Jussere Judaei, conspiratione nefanda ut rex, Lugduno, sicariis[1]...

Le reste avait été emporté par les meurtriers qui avaient cru, sans doute, être entrés en possession de la totalité de ce document accusateur. Le Goupil observa longuement le lambeau qu'il avait découvert et en particulier sa déchirure. Sans rien dire, il le tendit au Saxon qui l'examina, lui aussi.

Le missionnaire du roi Charles interrogea ensuite le moine portier puis l'abbé. Il leur demanda s'ils n'avaient rien entendu, rien remarqué qui pût être mis en relation avec le meurtre

1. Des Juifs ont ordonné, en une conspiration abominable, que le roi, à Lyon, par des assassins...

13

qui s'était produit devant leur abbaye. Le portier, en bégayant, confessa qu'il dormait. Quant à l'abbé, dont la cellule était située assez loin du portail, il était abîmé dans la prière et n'avait rien noté de significatif, rien que le bruit du vent dans les saules et, de temps à autre, le crépitement des averses sur les toitures.

Après avoir fait promettre une totale discrétion sous la foi du serment à tous les témoins de ce début d'enquête, Erwin décida que le corps serait transporté dans la nuit même à Lyon, afin d'éviter les commérages et agitations que ne manquerait pas de provoquer un convoi en plein jour. A vrai dire, le Saxon ne se faisait guère d'illusions sur la possibilité de préserver le secret sur un événement que connaissaient déjà de nombreuses personnes, dont des bateliers vantards. Mais, savait-on jamais...

Le corps d'Ebles, sur une civière et recouvert d'un drap, fut porté jusqu'à la rive et placé sur la barque qu'Erwin et Timothée avaient utilisée à l'aller. Les rameurs reçurent l'ordre de nager de manière que le bateau touche la rive droite de la Saône au débarcadère de l'évêché. Dès qu'ils eurent accosté, Timothée se rendit auprès d'Eldoï-nus qui en avait la charge à titre provisoire, en l'absence de l'évêque titulaire, Leidrade ; ayant mis le clerc au courant, le Grec souligna qu'il convenait d'agir de manière à ne pas éveiller les curiosités en cette pénible occurrence.

Le chemin qui conduisait de la rive à l'évêché, bien que court, parut interminable à Erwin qui précédait dans l'obscurité un étrange cortège

14

funèbre. A deux ou trois reprises, il lui sembla qu'il était épié. Arrivé à la porte de l'édifice, il ordonna aux serviteurs qui étaient venus à sa rencontre d'éteindre leurs torches, et c'est une procession d'ombres qui pénétra dans l'évêché.

Eldoïnus accueillit le missus dominicus en manifestant la plus vive émotion : qu'un enquêteur, envoyé par la chancellerie royale, ait été assassiné dans un diocèse dont il avait temporairement la responsabilité, qui plus est à la porte du monastère Saint-Martin, quel intolérable crime, quel défi ! Et Leidrade, son évêque, son maître, qui l'avait choisi, lui, humble clerc, en toute confiance, pour administrer l'évêché en son absence...

Eldoïnus battait sa coulpe, exprimait sa honte, multipliait les protestations de dévouement...

— Je sais, répondit Erwin sur un ton apaisant. Faire la lumière est ton devoir. C'est ma mission. Cependant, dis-moi, l'autre envoyé de la chancellerie, frère Yves, est-il demeuré ici ?

— Je le crois. Sa cellule est dans l'aile réservée aux chanoines.

— Veuille m'y conduire.

Dans la chambre mise à sa disposition, le frère Yves, clerc de la chapelle royale et chargé de mission, était agenouillé, en prière, quand le Saxon y entra. Il releva la tête et manifesta la plus vive surprise en reconnaissant l'abbé Erwin qu'il avait parfois rencontré à Aix et qu'il savait familier du roi et d'Alcuin[1]. Le missus dominicus écourta les politesses.

1. Principal conseiller de Charlemagne.

— Redoublais-tu complies, mon fils ? demanda-t-il.

— Je devançais matines en attendant Ebles.

— Quand as-tu regagné, hier, ta cellule ?

— A la dernière heure du jour, mon père.

— Et tu ne l'as pas quittée ?

— Juste pour une collation, peu après mon retour.

— L'absence d'Ebles avait-elle quelque rapport avec votre mission ? demanda Erwin.

— Je le pense, répondit, intrigué, le frère Yves.

— Dans ce cas, pourquoi ne l'as-tu pas accompagné ? Vos instructions ne vous commandaient-elles pas d'œuvrer toujours ensemble ?

— En vérité, mon père, la chancellerie, comme tu le sais, nous a confié, à Ebles et à moi-même, une mission de routine en cette ville, en relation avec l'absence de son évêque titulaire. Ebles m'a dit qu'il était tombé sur certaines choses qui lui avaient semblé étranges.

— Mais encore ?

— Vraiment rien qui me soit apparu comme sérieux. De vagues impressions. A mon sens, des fantasmagories. Mais il voulait en avoir le cœur net. Il est donc parti dans la soirée pour une entrevue dont il attendait quelque lumière.

— Ne t'en a-t-il dit rien d'autre ?

— Encore une fois, cela m'a paru si incertain, si flou. Je lui ai dit qu'il avait dû rêver... En tout cas, il ne s'agissait de rien d'important, ni de grave, je te l'assure.

Erwin, que cette attitude avait fini par irriter,

prit le clerc par le bras, le regarda droit dans les yeux et lui dit :

— Si peu important, si peu grave que je viens de trouver Ebles mort, assassiné devant la porte de l'abbaye Saint-Martin-d'Ainay, tandis que...

Le Saxon ne put terminer.

— Ebles ?... Mort ?... Assassiné ?... cria Yves. Mort, dis-tu ? Ce n'est pas vrai !

L'abbé s'était attendu à des regrets, à du chagrin, à de la surprise, à de la colère, mais pas à ce qu'il vit : avec un visage exprimant la plus amère souffrance, le frère Yves s'effondra sur sa couche, retenant à grand-peine ses sanglots :

— Ebles, mon ami Ebles... mais comment est-ce possible ?... Et moi qui... C'est de ma faute !... J'aurais dû le croire... Oh ! oui, de ma faute !... J'aurais dû l'accompagner... jamais... jamais... je n'aurais dû le laisser seul... Non, jamais je n'aurais dû... et maintenant...

Le clerc prit son visage dans ses mains. Erwin s'assit à côté de lui et, en évitant les détails douloureux, lui révéla dans quelles circonstances il avait retrouvé le corps d'Ebles.

— Nous avons ramené sa dépouille en ce lieu saint, ajouta-t-il doucement.

Yves se leva soudainement et, toujours en pleurs, se dirigea vers la porte de sa cellule.

— Il faut que... commença-t-il.

Le Saxon l'arrêta :

— Tu seras autorisé à le voir tout à l'heure, en prenant part à la veillée mortuaire, dit-il. Maintenant, nous allons prier pour son âme, car elle va affronter le jugement du Tout-Puissant — puisset-il lui être favorable ! Je vais prier pour toi aussi, mon fils, car il me semble que tu en as grand besoin.

Le frère Yves entendait à peine. Il était à présent étendu sur sa couche dans une sorte de prostration. Erwin ajouta cependant :

— Il faudra quand même, aussi vains qu'ils aient pu te paraître, que tu me parles plus précisément de ces faits étranges qui ont conduit Ebles à un rendez-vous fatal. Il faudra aussi que tu me parles, si tu le sais, de celui qui le lui a fixé, ou conseillé. Je te laisse pour l'heure à ta peine. Mais, dès demain, nous examinerons ces choses si vagues et qui pourtant se sont révélées mortelles.

Le frère Yves, abîmé dans le désespoir, ne lui répondit pas.

Avant de quitter l'évêché, le missus dominicus s'entretint un long moment avec Eldoïnus. Après avoir rappelé les circonstances de sa macabre découverte, il renouvela ses consignes de vigilance. Il se fit préciser les instructions que devaient suivre Ebles et frère Yves et qui leur avaient été communiquées par la chancellerie, accompagnées d'une missive de l'évêque Leidrade lui-même. Erwin savait que celui-ci avait été retenu à Aix par le procès de l'évêque Félix d'Urgel, accusé d'avoir défendu et prêché l'hérésie adoptianiste[1].

La prolongation de la tâche confiée à Leidrade

---

1. Selon l'adoptianisme, le Christ aurait été « adopté » par Dieu postérieurement à sa naissance charnelle.

à ce sujet était d'ailleurs l'une des raisons pour lesquelles le roi avait envoyé Erwin à Lyon, en une mission de caractère exceptionnel, car il était très rare qu'un seul missus fût investi de pouvoirs étendus. En principe, elle aurait dû demeurer secrète. Il s'agissait simplement de veiller à ce que tout se passe bien dans le diocèse et dans le comté du Lyonnais en l'absence de l'évêque titulaire, Leidrade. C'est pourquoi le roi Charles avait désigné un abbé. En fait, il était peu probable, étant donné ce qui venait de se produire sur l'île d'Ainay, que le secret de la mission fût préservé bien longtemps.

Quant à la missive envoyée par Leidrade à son vicaire Eldoïnus, elle ne comportait guère que des indications sur le procès instruit contre Félix d'Urgel. Dans l'hypothèse, probable, où il serait condamné, il serait transféré à Lyon pour y finir sa vie dans un monastère sous bonne garde. Élément à ne pas négliger, jugea le Saxon. Ce Félix d'Urgel ne devait pas manquer de sectateurs.

Frère Antoine, à l'*Auberge des Quatre Cavaliers*, se rongeait les sangs : ce rendez-vous de l'autre côté de l'eau ne lui disait rien qui vaille. Son chef et le Goupil tardaient trop à revenir. Aussi quand il les vit entrer dans la salle où il était attablé, visiblement fatigués mais sans une égratignure, se précipita-t-il au-devant d'eux avec soulagement, masquant son anxiété précédente par une plaisanterie :

— Encore un peu, lança-t-il, et votre vagabondage coûtait à maître Marcel un autre chapon.

— Je crois, laissa tomber Erwin, qu'il n'en fera pas l'économie.

Sans attendre, l'aubergiste avait apporté un flacon de vin, de l'hydromel pour l'abbé saxon, ainsi qu'une poularde bouillie accompagnée de pois au lard. Puis, sur un signe du missus dominicus, après s'être incliné profondément, il quitta la salle. Timothée, à la demande de son maître, informa le frère Antoine de ce qui venait de se passer sur l'île d'Ainay. Alors que ce dernier, après avoir demandé au Grec quelques précisions sur les circonstances de leur macabre découverte, était entré en réflexion, Erwin rompit le silence et demanda tout à trac :

— Où est présentement Doremus ?

— Toujours à Vienne sans doute et je crois... commença frère Antoine.

Le Saxon, l'air soucieux, ordonna d'un geste au moine qui s'apprêtait à compléter sa phrase de n'en rien faire et de le laisser réfléchir.

— Que savons-nous déjà ? dit-il soudainement. Toi, Timothée ?...

— Quant aux meurtriers d'Ebles, sans doute des sicaires venus et repartis en barque... avança le Goupil en caressant pensivement son collier de barbe.

— Est-ce bien certain ?

— Sinon quoi ? Un assassin, ou plusieurs, demeurant sur l'île d'Ainay ou y séjournant pour l'occasion, si je puis dire ?...

— Pas à exclure, en tout cas, ponctua frère Antoine. Et...

— Bien, interrompit Erwin. Deux : pourquoi

nous avoir incités à nous rendre à cette abbaye en nous faisant parvenir ce message qui laissait espérer des révélations de la plus haute importance?

— Pour nous faire subir le sort d'Ebles? interrogea Timothée. Mais nous n'avons jamais été attaqués. Pour que nous constations l'assassinat?... Absurde...

— Pas si l'on voulait que nous fussions les premiers à découvrir le corps, murmura le Saxon.

— Mais pourquoi? s'écria frère Antoine.

Erwin, laissant cette question sans réponse, enchaîna :

— Trois : personne n'a-t-il vraiment rien entendu dans l'abbaye? Est-ce crédible?

— Ebles n'a pas été égorgé mais poignardé, souligna Timothée... il a peut-être crié... il n'est pas exclu qu'il se soit défendu, qu'il ait appelé à l'aide... Le frère portier a dit qu'il dormait... en tout cas, très près des lieux du meurtre. Je lui ai parlé à voix très basse, il a l'oreille fine...

— ... mais sans doute le sommeil profond, lança le Pansu.

— Quant à l'abbé, poursuivit le Grec, s'il était en prière, c'est qu'il ne dormait pas... Il a insisté sur le bruit que faisaient le vent et les rafales de pluie... Le vent était faible et, à notre arrivée, il ne pleuvait pas... Mais il est vrai qu'il avait plu, le sol était détrempé...

— Quatre : pourquoi frère Yves n'a-t-il pas accompagné Ebles jusqu'au monastère Saint-Martin? demanda Erwin.

— Pourquoi l'aurait-il fait, mon père? interrogea Timothée.

— Quand j'ai interrogé Yves, il m'a révélé qu'avec Ebles ils étaient sur les traces d'affaires suspectes.

— C'est lui alors qui devient suspect pour ne pas avoir...

— Hum, grogna Erwin... Mais je ne peux mettre en doute que le meurtre de son ami l'ait atteint comme la foudre... Encore que... Trop, c'est trop parfois...

L'abbé Erwin produisit alors le lambeau de parchemin retiré de la main d'Ebles et il le tendit sans mot dire au frère Antoine, qui prit connaissance de son contenu accusateur avec surprise, examinant longuement la texture du parchemin et l'aspect de sa déchirure.

— Curieux, commenta-t-il simplement.

Puis, après un temps de réflexion :

— N'est-ce pas là ce qu'on voulait vous faire et nous faire découvrir ? ajouta-t-il.

— Avait-on besoin d'assassiner un envoyé de la chancellerie pour nous faire parvenir un avertissement dénonçant la colonie juive de Lyon ? interrogea Timothée.

— Sauf s'il s'agissait d'imputer aux Juifs l'assassinat d'Ebles, nota le Pansu.

— En tout cas, Juifs ou pas, ces gens-là sont capables de tout, dit le Goupil.

— J'aimerais bien que Doremus fût de retour, murmura le Saxon, pensif.

— Moi aussi, dit le Pansu. En attendant, je me sens mieux ici, en cette auberge, que dans cet évêché ouvert à tous les vents et...

Erwin l'arrêta d'un geste.

— Qu'as-tu dit ? s'écria-t-il. Mais oui ! Comment ai-je pu...

Le Saxon se leva.

— Faisons vite ! Il est peut-être trop tard ! Vos armes... arriverons-nous à temps ?... A l'évêché ! ordonna-t-il d'une voix calme en se dirigeant à grandes enjambées vers la porte.

Leur course nocturne par les rues de Lyon ne passa pas inaperçue, d'autant qu'arrivés devant l'édifice épiscopal, Timothée et le frère Antoine menèrent grand tapage, sur recommandation de leur maître, pour faire ouvrir le portail.

Les trois hommes se ruèrent vers le couloir sur lequel s'ouvrait la cellule de frère Yves. Comme ils y parvenaient ils aperçurent vaguement à l'autre extrémité la silhouette d'un homme qui fuyait. Timothée, coutelas en main, engagea la poursuite tandis qu'Erwin et le frère Antoine se précipitaient vers la chambre où logeait le missionnaire de la chancellerie et dont la porte était ouverte. Sur la couche ensanglantée, il gisait, inerte.

— Trop tard, murmura le Saxon. Notre vacarme a sans doute effrayé le meurtrier... mais, déjà...

Frère Antoine s'était penché sur le corps.

— Il vit encore ! s'écria-t-il. Dieu bon, fais qu'il s'en sorte !

Déjà il avait commencé à dénuder le corps, déjà apparaissait Eldoïnus flanqué de deux diacres. Erwin se tourna vers lui avec un visage courroucé :

— Est-ce ainsi... commença-t-il.

Puis, se reprenant, il ajouta :

— J'ai moi-même été aveugle... Mais pouvais-je penser que jusqu'en ce lieu... J'aurais dû pourtant, et tu aurais dû aussi, Eldoïnus...

Celui-ci, effondré, ne parvenait pas à articuler un seul mot.

Un médecin, qu'un diacre était allé quérir, avait entrepris sur-le-champ les premiers soins, s'efforçant d'arrêter les hémorragies et appliquant sur les plaies des compresses d'huile de millepertuis. Il conseilla de laisser le blessé là où il se trouvait car il était, selon lui, intransportable. Puis il entraîna le missus dominicus dans le couloir et lui dit en aparté :

— Mon père, le malheureux a reçu quatre coups de dague à la poitrine. Il a dû se débattre. Il a perdu beaucoup de sang. Je mettrai tout en œuvre pour qu'il vive, seigneur. Mais, en vérité, il y a bien peu de chances. Les remèdes les plus éprouvés, les vulnéraires les plus efficaces, les traitements les plus assidus seront à son service. Cependant je ne suis qu'un médecin. Plus que de mes pauvres soins, c'est de Dieu qu'il faut attendre une guérison miraculeuse. Celui qui gît là a besoin d'incessantes et ardentes prières.

— Assurément, elles ne lui seront pas mesurées, approuva l'abbé Erwin. Qu'une oraison continue apporte au corps et à l'âme du frère Yves le secours du Tout-Puissant !

De son côté, Eldoïnus annonça des cérémonies de réparation et de purification pour laver les lieux des souillures du crime.

— Quant à moi, ajouta le clerc, jeûnant par

24

pénitence, je dirigerai moi-même jour et nuit les prières que tu as ordonnées.

— Yves devra être gardé en permanence par deux hommes en armes et en lesquels tu auras toute confiance. Tu en réponds devant moi, précisa Erwin.

A cet instant réapparut Timothée, hors d'haleine et tenant à la main une pièce d'étoffe. Il avait poursuivi le fuyard, sans doute l'agresseur, jusqu'à l'enceinte.

— Je n'ai pu le rattraper, s'excusa-t-il. Il avait trop d'avance. Toutefois, je ramène ce butin. Pas inintéressant !

Il tendit l'étoffe au frère Antoine qui la palpa.

— Rien d'une coule[1], commenta-t-il.

— Non, mais de ce tissu dont Levantins et Juifs font commerce et qu'ils utilisent aussi pour leurs tuniques, précisa le Grec.

— Curieux quand même que l'agresseur s'en soit débarrassé, grommela le Saxon.

— Pour courir plus vite peut-être, suggéra Timothée avec un sourire.

Erwin ne répondit rien. Puis il prit Eldoïnus à part et il lui indiqua qu'il ferait parvenir au roi sans tarder un rapport sur ce qui venait de se dérouler.

— Chasse toute appréhension, Eldoïnus ! ajouta-t-il. Toute investigation sur ce qui n'est pas strictement la gestion spirituelle du diocèse est désormais sous ma responsabilité ; n'est-ce pas là le sens de ma mission ?

1. Vêtement à capuchon.

— Cela efface-t-il ma propre responsabilité ? se lamenta le clerc.

Sur le chemin de l'auberge, l'abbé dit au frère Antoine et à Timothée :

— L'aube, déjà... Que peut bien faire Doremus ?...

— J'ai confiance, mon père, dit le Grec.

— Puisse le jour qui se lève être moins sinistre que la nuit qui l'a précédé ! souhaita frère Antoine. Bientôt les laudes... Nous prierons pour la sauvegarde de Doremus, pour l'âme d'Ebles, pour frère Yves, puis, le cœur en paix, j'aiguiserai mes couteaux. Que vaut prière sans arme ?

Depuis que Doremus était entré dans sa tente, Hendrik n'avait pas prononcé un seul mot. Il avait tendu à son hôte une assiette en argent travaillé, lui avait fait apporter par un serviteur un morceau de chevreuil rôti et versé un gobelet de vin. Puis il s'était remis lui-même à manger, jetant de temps à autre sur Doremus un regard inquisiteur. A sa droite se tenait un personnage au teint olivâtre et au regard sombre dont le visage buriné exprimait cautèle et cruauté. Il prélevait par instants du bout des doigts des boulettes de viande qu'il portait lentement à sa bouche. A la gauche de Hendrik était assise sur des coussins une femme à l'allure effrontée et vêtue de riches étoffes multicolores.

En arrivant au camp des Mustelles, Doremus, d'un œil expert, avait évalué à une quarantaine le nombre des brigands qui s'y trouvaient réunis, soit avec femmes et enfants une centaine de personnes. De quoi monter bien des expéditions ravageuses car les compagnes des bandits n'étaient pas moins tristement efficaces que ceux-ci mêmes. L'assiette dont il se servait maintenant et le gobelet en argent témoignaient de butins fructueux. Les coffres de Hendrik devaient être remplis de vaisselle précieuse, de brocarts et même de pièces d'or et d'argent. La bande des Mustelles était sans doute une entreprise lucrative. Elle avait les moyens d'acheter des complicités, de servir de grandes ambitions.

Hendrik rompit le silence. Utilisant le jargon qu'employaient entre eux les brigands en Bourgogne il dit, s'adressant à son voisin et désignant son hôte :

— Ça, c'est Doremus... Il a l'air de rien, hein ! Ah, mais là attention : c'est un coriace ! Sous ce crâne chauve, il y en a ! A preuve ? Deux ans qu'il a tenu avec sa troupe contre le comte d'Autun qu'était pas un tendre... Deux ans dont deux hivers dans les bois... deux ans, c'est long, hein ! Sa troupe ? Bouseux et culs-terreux en rupture de manses. Et pourtant : discipline et fffit... des anguilles. Oui, mais des imbéciles : deux ans et à la sortie : manches vides et bourse plate... Tu me diras qu'ils auraient pu finir en cinq morceaux[1]... Mais Doremus, c'est un malin : le pardon, ouais, pour tout le monde. Et même, pour ses imbéciles : de la terre ; en avant que je te laboure, que je te sème, que je te récolte, que je sue sang et eau, même en hiver, et puis, quand le comte et l'évêque sont passés, je becte quoi ?

1. C'est-à-dire : écartelés.

27

Hendrik s'esclaffa.

— Oui, mais Doremus, lui... Le pardon... Un agneau, une vraie colombe... Pardonné et triple signe de croix au nom du roi et du Seigneur. Un malin! Petit voyage à Aix. Nouveau pardon et de Charles lui-même...

Hendrik esquissa un salut dérisoire.

— Au fait, notre maître est-il si grand que ça, toi qui l'as vu, de tes yeux vu?

Doremus continuait à découper sa viande.

— Et cette grande carcasse d'abbé saxon? C'est lui qui t'a engagé, hein? Paraît qu'il se trimbale par ici. Intéressant ça, hein!... Mais je vais te dire Doremus : « Une fois trugand, toujours brigand. » Tes airs de chattemite ne me trompent pas. A ce que m'a dit Crispo le Rouge... Tu ne connais pas peut-être mon ami Crispo, allons donc!... A ce qu'il m'a dit, le roi a engagé avec toi un drôle de pèlerin, et je le pense aussi. Combien ça te rapporte de... servir notre souverain? Je veux dire tes petites et grandes combines... Mais moi, Hendrik, j'en ai une à te proposer... et qui peut te faire gagner — il fit le geste de compter des pièces de monnaie — tu vois... Bien sûr qu'il voit. Tu n'as pas oublié, hein, le bon temps des forêts... Savoir observer, se glisser, surprendre et prendre, hein... Mais, évidemment, si on était soi-même surpris et pris... Tandis qu'ici, ce que je vais te proposer moi... sans risque...

Hendrik se tourna vers l'homme au visage sombre.

— Qu'est-ce que je t'avais dit, lui fit-il remarquer. Rien. Il bronche pas, il répond rien. Voilà le bonhomme. Il attend.

— Laisse cela ! lui murmura l'homme. Est-ce que tu lui as proposé...

— Oh, mais, reprit le chef des Mustelles, je suis sûr qu'il va accepter. Il est méfiant, je le suis aussi. Il me connaît... on me connaît jusqu'à Metz... Entre membres de la même confrérie, celle des grands chemins, on se comprend. Alors il sait où est son intérêt, n'est-ce pas ?

— Venons-en à l'affaire ! répliqua tranquillement Doremus.

— Rien de plus simple. Je veux savoir pourquoi on a envoyé par ici, à Lyon, en mission secrète — il s'esclaffa — ah oui, secrète ! ce Saxon qui, paraît-il, a toute la confiance du roi, qui fouine partout... On le voit sur tous les coups... Tu comprends, hein, Doremus ? Alors, ça m'intéresse. Et je suis prêt à payer et même à bien payer pour satisfaire ma curiosité.

— Et pour quelles raisons tu veux que je te renseigne ?

— Chacun ses petits secrets, Doremus. Les miens ne te regardent pas. Mais je possède quelques pièces d'un certain métal qui, elles, vont sûrement te décider.

— Combien ?

— Toi, dis !

— Cinquante pièces d'or[1], précisa l'ancien rebelle.

---

1. Le sou d'or valait douze deniers d'argent. Il n'était plus frappé en Francie mais demeurait une monnaie de compte. Dans l'empire d'Orient continuait de circuler le *numisma*, et

Le bandit parla un court instant à voix basse avec son voisin.

— Tu les auras, annonça-t-il.

— Cinq tout de suite, exigea Doremus.

Nouvel aparté, puis Hendrik déclara :

— Tu les auras.

Le chef des Mustelles fit venir un serviteur porteur d'une urne en bronze. Il y puisa cinq dinars qu'il jeta sur le tapis devant Doremus. Celui-ci les ramassa posément.

— Rien de plus beau que ça, hein, l'ami ! s'exclama le bandit. Ça brille, ça chauffe le cœur. Et pense qu'il y en a beaucoup d'autres derrière ceux-là pour toi, si nous sommes contents de toi.

Hendrik éclata de rire et ajouta :

— Ne t'avise pas de nous jouer un tour. Nous, les Mustelles et les autres, nous avons des yeux partout, nous sommes partout. Où que tu sois, on saurait te mettre la main dessus et, alors, tu supplierais qu'on en finisse plus vite avec toi. Tu as entendu ?

— Son regard, murmura Judith. Cet homme est dans une colère...

— Allons donc, c'est la vue de l'or. Toi aussi tes yeux brillent, ma chatte, quand tu en vois.

Doremus fixa la femme.

— Tu es juive, lui dit-il d'une voix sourde.

dans l'Empire musulman, ainsi qu'en Espagne, le dinar, l'un et l'autre en or.

— Qu'est-ce que cela peut te faire ?

— A moi rien, répondit-il, mais à toi et aux tiens, beaucoup.

— Fais taire ce drôle ou je m'en charge, lança Judith en sortant un poignard de sa gaine.

Doremus se leva.

— Je crois que tout est réglé, conclut-il. Donc je retourne à Condrieu. Je te demande un guide jusqu'au col de Chassenoud. Après, je n'en aurai plus besoin. J'ai laissé mon cheval et mes armes près d'une bergerie.

— Au cas où il te viendrait de mauvaises pensées, dit Hendrik au moment où son hôte quittait sa tente, nous allons partir de ce camp-ci tout à l'heure... Et souviens-toi... Partout... n'importe où...

Doremus dévisagea un instant le conseiller du chef des Mustelles puis, sans saluer, se retira. Il se rendit dans la cabane qu'on lui avait attribuée comme logement pour la nuit précédente, fit un bagage léger de ce qu'il avait apporté avec lui. On avait évidemment fouillé ses affaires.

Au moment où il allait rejoindre son guide, une jeune fille entra dans la tente.

— Voilà, dit-elle, ma sœur m'envoie te demander : qu'est-ce que tu as voulu dire ?

— Elle s'appelle Judith, n'est-ce pas ?

La jeune fille approuva de la tête. Doremus se contenta de répondre :

— Je voulais dire que tu as une très gentille sœur...

— Je lui dirai. Moi, je m'appelle Dinah.

Le *magister Judaeorum*[1] Everard se racla la gorge :

— Je comprends votre embarras, énonça-t-il gravement, et dis bien à l'envoyé du roi que je lui suis très humblement dévoué. Mais je n'en finirais pas de te dire les soucis, tant et tant ! que ma charge me vaut. Par tous les saints, je n'en finirais pas.

— Assurément, assurément, approuva Timothée. Cependant notre souverain — Dieu le tienne en sa garde ! — ne laisse nulle charge sans avantage. Ton dévouement, je gage, reçoit bon paiement. Sans compter...

— Que veux-tu dire ? demanda Everard, alarmé.

— Allons, allons, ami... Combien de pièces de brocart, combien de fioles de parfums, combien de bijoux, combien de bois précieux, d'épices onéreuses passent par ici dans des convois se dirigeant vers Toul, Metz, Aix et autres cités opulentes ? Et je ne parle pas de ces manuscrits que réclament sans cesse ceux que le roi a réunis en son Académie et ses grands conseillers qui œuvrent à établir fermement les textes sacrés, à nourrir les scriptoria et à faire que le règne de Charles dépasse en éclat Rome et Constantinople...

— En vérité, il les dépasse.

— ... Et combien de *pontos*, chargés d'esclaves venus des grandes îles du Nord,

1. Magistrat chargé, à Lyon notamment, des relations avec la communauté juive.

d'ambre, de fourrures et aussi de grumes, affrontent les tourbillons du Rhône pour porter leurs charges vers le sud, vers Cordoue ou vers Alexandrie ?

— Nombreux, tu l'as dit.

— Et des épées peut-être, suggéra Timothée avec un regard en dessous en faisant le geste de lisser sa barbe du revers de la main.

— Non, non, par le sang du Christ, des épées jamais ! se récria le *magister Judaeorum*.

— Ne jure pas !... Surtout que... Voyons, les meilleures épées qui soient au monde, tranchantes à couper un brin de soie qu'on laisse flotter en l'air jusqu'à leur fil, des épées qui valent une fortune, des épées dignes de saint Georges... des épées donc que les sectateurs de Mahom nous envient... et parviennent à se procurer malgré toutes les interdictions... Allons, pas une petite épée par-ci par-là sous un gros chargement de rondins ?

— Jamais, sur ma vie jamais !

— Tu as dit cela bien légèrement.

Le *magister* pâlit.

— Le va-et-vient par terre et eau, combien de sous d'or cela représente-t-il ?

— Oh, mais rien ne passe ici qui ne soit consigné, et scrupuleusement, je te l'assure, par nos notaires. Les Juifs paient ce qu'ils doivent sans tricher et sans faillir. Leur gaon[1] y veille. Pas un denier dû qui soit détourné. Le trésor du roi...

— Ne me prends pas pour un imbécile ! inter-

1. Chef d'une communauté juive. Pl. géonim.

rompit Timothée. Que les Juifs paient comme tu le dis, je le veux bien. Leur présence, leur force et leurs droits reposent sur leur réputation. D'habileté et d'honnêteté. Mais est-ce que ça les empêche d'être malins ? Quand circulent des deniers en abondance si merveilleuse, quelques-uns ne peuvent-ils faire un petit détour par ta cassette ?

— Ce que je dois recevoir et qui a été fixé par la chancellerie royale elle-même, je le reçois. Rien d'autre.

— Je suis sûr que si j'y regardais de plus près... Mais passons ! Je n'appartiens pas au fisc royal. Je ne suis pas venu ici pour le contenu de tes manches... Bon !... Dis-moi donc : ces Juifs, ils doivent en faire des jaloux, des envieux qui aimeraient bien mettre la main sur leurs fortunes ? J'en jurerais. D'ailleurs, c'est tellement plus facile de s'emparer d'un coffre par brigue, intrigue, calomnie vicieuse ou violence que d'acquérir légitimement son contenu par savoir-faire et labeur.

— Tu as dit vrai. Depuis qu'un capitulaire royal leur a donné garantie de leurs droits, assurances quant à leur foi et à leurs lieux de culte, quant à leurs personnes, leur commerce et leurs biens, des appétits se sont accrus, plus ou moins ouvertement. Des jaloux, des curieux ? Certes et plus d'un. Tu connais ceci : qui veut noyer son chien l'accuse de la rage.

— J'entends. Mais si Charles, en sa sagesse, a dicté le capitulaire que nous connaissons, outre que ce peuple témoigne à sa façon, il a, notre roi, de solides raisons. Car qui pourrait remplacer ces

Juifs et rendre à notre souverain les services qu'ils lui rendent? N'existe-t-il pas une chaîne d'établissements juifs depuis le plus lointain Orient jusqu'au Nord le plus extrême? Depuis Tyr ou Alexandrie, en passant par Lucena[1] — cité qu'on dit toute juive —, Cordoue, Barcelone et Narbonne, n'ont-ils pas partout des ports et des entrepôts, des artisans à leur compte, des prêteurs, changeurs et banquiers? Sais-tu que lorsque Charles est allé conquérir à la foi du Christ de nouveaux peuples dans les contrées du vent, de la neige et du froid, des Juifs étaient dans ses fourgons? N'en voit-on pas jusque chez les barbares affronter les périls pour agrandir leur négoce? Qu'il les aime ou qu'il ne les aime pas, un roi peut-il se passer d'eux? Pourquoi se priverait-il de cette ressource-là?

— Je suis là précisément pour veiller qu'elle ne lui manque pas, repartit le *magister Judaeorum*. Mais ne t'ai-je pas dit combien ma tâche est difficile? Unis en apparence, les Juifs ne le sont guère entre eux. Ceux dont je suis le tuteur on les appelle Rhodanites[2], sans doute parce qu'ils naviguent sur le Rhône. Ce sont les plus puissants. Mais il y a aussi des Thoraïtes[3], minorité

---

1. Très important centre religieux, culturel et commercial juif en Espagne musulmane, situé non loin de Cordoue et de Grenade.

2. En fait, les Rādhānites, chaîne de communautés juives assurant un commerce terre-mer depuis le nord de l'Europe jusqu'au Moyen-Orient.

3. En fait, les Qaraïtes, sectateurs partisans d'une lecture biblique débarrassée des commentaires talmudiques. Ils constituaient également une filière commerciale.

sévère et enfiévrée. Entre les uns et les autres, ce sont des disputes infinies où il n'y a rien à comprendre. Cependant, entre les familles et les personnes, les querelles ne manquent pas non plus, souvent très âpres. Heureusement, de tout cela ils font juges leurs rabbins, leur gaon ou quelque personne très sage. Mais ça ne va pas toujours tout seul, et il me faut intervenir... hélas !

— Juif ou non, un homme est un homme. Cependant, querelles ou non, leur position n'est pas menacée.

— Peut-être pas, peut-être que si. Ils ne sont pas seuls en négoce. Quelques Sarrasins par-ci par-là... Surtout des Levantins[1], chrétiens selon eux, mais d'une foi douteuse à ce que dit notre évêque. Hérétiques ou pas, ils taillent des croupières aux Juifs, si je puis dire. Ils ont les dents longues, crois-moi. Ils ne manquent pas de moyens ni d'habileté. Mais trop... Moins de confiance... Et puis que veux-tu, je me suis fait à mes ouailles : je les aime bien.

— Elles te le rendent au centuple, sans doute.

Everard fit mine de se fâcher.

— Crois-tu qu'il s'agisse toujours et pour tout de deniers ? s'écria-t-il. Je les aime bien, coffres vides ou pleins. Et les hérétiques, je ne les aime pas, voilà tout !

— Et ces hérétiques n'aiment pas tes Juifs, voilà tout, répliqua Timothée.

— Oui, voilà tout.

— Oui, mais en dehors de toi, qui aime ou

1. Appelés le plus souvent *Syri* (sing. *Syrus*).

36

n'aime pas ces Levantins ? Et d'ailleurs ceux-ci
— étant constaté qu'ils n'aiment pas les Juifs qui
le leur rendent bien —, qui aiment-ils ?

— Je ne sais rien de tout cela. Je suis *magister*
des Juifs, pas des Levantins. Je veille sur eux, et
je veille à ce qu'ils respectent ce qu'ils doivent
respecter, et je veille à ce qu'on les respecte,
selon les prescriptions du capitulaire que tu sais.
Les autres n'entrent pas sous ma surveillance.

— Sauf s'ils s'en prenaient à ceux dont tu as la
garde.

— En effet, par Dieu.

— Eh bien, voilà tout ! conclut Timothée.

Le forgeron, avec des tenailles, retira des
braises la barre de fer, la porta sur l'enclume et
commença à la marteler en faisant jaillir du métal
incandescent des gerbes d'étincelles, tout en véri-
fiant de temps à autre la forme qu'elle prenait.
Après un long façonnage, il parut satisfait et plongea la pointe de pique qu'il avait fabriquée dans
un seau d'eau d'où s'éleva en chuintant un peu de
vapeur.

— Avec mes excuses, vénéré frère Antoine,
dit-il. Mais quand le fer a subi l'épreuve du brasier, il faut le battre sans tarder. Le métal, c'est
comme une femme : pour en tirer quelque chose,
il ne faut pas le ménager. N'est-ce pas ?

Le forgeron éclata de rire.

— Comment veux-tu, maître Benoît, que je
connaisse quelque chose à ce quelque chose-là,
répliqua le Pansu avec un air de modestie
comique. Ne sommes-nous pas, nous autres, des
modèles de chasteté ?

— Dis plutôt qu'avec une bedaine comme la tienne, il doit être difficile de...

— Halte-là! interrompit frère Antoine en faisant apparaître magiquement au bout des doigts de sa main droite un couteau. Halte-là! Un seul mot sur l'objet de ma fierté et je te rabats le caquet définitivement.

Le forgeron le regarda, interdit, se demandant s'il plaisantait ou non. Il prit le parti de la prudence.

— Bon! dit-il. Que me vaut l'honneur de ta visite, mon père?

Le frère Antoine remit le couteau dans sa gaine.

— Quand nous sommes-nous rencontrés pour la dernière fois? demanda-t-il d'un ton suave. C'était à Mâcon, si je me souviens bien.

— Oui, à la Saint-Martin d'hiver, il y a deux années et demie. Quand nous sommes sortis de sa rôtisserie, le maître de la *Carpe d'Or* nous a tiré son bonnet par respect pour les deniers que nous y avions laissés.

— Bonne auberge. Un peu frugale, peut-être...

Le frère Antoine désigna alors l'aide qui continuait à actionner le soufflet de forge.

— N'aurais-tu pas, suggéra-t-il, quelque commission à lui confier?

— Si fait! répondit maître Benoît.

Quand son commis fut parti, le forgeron interrogea son vis-à-vis du regard.

— Tout se sait et rapidement, commença frère Antoine. Je me trompe? Non, n'est-ce pas? Tu sais donc qui je sers aujourd'hui et pourquoi je vais demander à un vieil ami — oui, toi — de m'aider à éclaircir mes idées. Depuis que le très sage abbé Erwin et ses indignes serviteurs sont arrivés à Lyon, certains événements...

Le moine, ne sachant pas ce que la rumeur publique avait dévoilé, laissa sa phrase en suspens.

— Oui, oui, approuva le forgeron tout aussi prudent.

— Eh bien, toi qui as de bonnes oreilles, mets donc ta langue à leur disposition et fais moi savoir ce que doit savoir ton roi !

— Qu'est-ce que je pourrais savoir que mon roi ne sait pas ? L'audace des bandes qui viennent commettre leurs forfaits jusqu'aux portes de la ville ?

— Mais encore ?

— Crispo le Rouge et ses coupe-jarrets, par exemple ? Les plus dangereux. Et insaisissables... Toujours en mouvement entre Lyonnais et Beaujolais, avec des incursions ravageuses jusque dans la Dombes... Étrange qu'ils échappent aux opérations montées contre eux à peu près à tous coups...

— Des complicités ?

— On le dirait.

— Haut placées ?

— Est-ce que je sais, moi ? répondit Benoît. Les seuls qui ne sont pas soupçonnables, ce sont ceux qui sont pillés. Et encore...

— On ne peut tout de même pas soupçonner tous ceux qui s'en sortent !

— Il faut dire qu'à Lyon, certaines rancœurs

sont tenaces. Charles Martel et Pépin ont jadis traité la Bourgogne et la ville comme terres ennemies, pire comme rebelles. Leurs ravages, tu le sais bien, ont dépassé ceux des Sarrasins...

— Je ne répéterai pas au roi ce que tu viens de dire...

— Tu veux savoir ce qu'il en est ou non ?... demanda le forgeron. Donc pour certains, pour les plus pauvres en particulier, les bandits sont un peu des vengeurs.

— J'ai connu cela ailleurs[1], dit le Pansu. Mais il doit y avoir d'autres complicités que celle des humbles.

Benoît, qui avait placé dans la braise une autre barre de fer, ne répondit pas.

— Écoute-moi bien, l'ami, insista le moine, ce qui vient de se produire ici met certainement en jeu d'autres influences que celle de Crispo le Rouge. Ne m'as-tu pas parlé du comte Rothard ?...

— Moi ? Pourquoi t'en aurais-je parlé ? Tout le monde sait ici qu'il ne pèse pas plus qu'un pois chiche face à l'évêché. Il n'ose même plus réunir ses rachimbourgs pour constituer son tribunal et rendre la justice. Et depuis que le roi a placé à la tête du diocèse l'un de ses amis les plus proches...

— Voilà de solides raisons de rancœur et de complot !

— Rothard ?

Le forgeron s'esclaffa.

— Pourvu qu'il touche sa part sur le cens et les

---

1. Cf. *Le poignard et le poison*, coll. 10/18, n° 2581.

tonlieux, expliqua-t-il, pourvu qu'il bouffe et qu'il trousse les luronnes, il laisse volontiers à l'évêque les soucis et les peines.

— Alors quoi, pas la moindre activité suspecte, pas la moindre agitation révélatrice, pas la moindre rumeur instructive ? Par exemple, ces Juifs dont le quartier se situe à un jet de pierre de ta forge et qui doivent bien y venir, ces Juifs...

— Ceux-là, frère Antoine, tu ne les trouveras jamais du côté du désordre.

— Quels sont donc ceux qui s'y trouvent ?

— C'est toi, répondit Benoît posément, qui as parlé de rumeurs et d'agitation. Tu sais ce que Lyon attend ? Que ce Leidrade récemment nommé, et qu'on n'a guère vu jusqu'ici, fasse entreprendre rapidement les travaux nécessaires dans une ville dont les églises, les chapelles, les monastères et abbayes, les entrepôts, les voies et les maisons portent encore, béantes, les plaies de tant de guerres. Et si tu entends ici ou là des rumeurs, apprends qu'elles sont dictées par l'impatience. Quant aux intrigues et complots, s'il y en a, comment un forgeron en serait-il averti ? Ce qui se passe là — il pointa le doigt en direction de l'évêché — et aussi là-bas à Aix, je n'en sais rien et je ne veux surtout rien en savoir.

— Voilà qui indique clairement que discrétion est mère de sûreté.

Le frère Antoine se dirigea vers la rue après avoir salué le forgeron d'un geste de la main.

— Tout cela a été fort instructif, dit-il en se retournant. Vraiment instructif ! A bientôt.

— Volontiers, mon père.

La forge donnait sur une cour assez vaste pour accueillir les charrettes de ceux qui avaient besoin des talents de maître Benoît; elle servait aussi d'entrepôt. Elle était située au pied même de la pente abrupte qui cernait la ville basse et qu'escaladaient des sentes menant à Fourvière et aux hameaux situés sur les hauteurs dominant la Saône. L'une de ces sentes donnait directement sur la cour de la forge.

Au moment où le moine quittait l'atelier et arrivait à découvert, il entendit et vit dévaler vers lui un pesant rocher. Avec une prestesse que sa corpulence ne laissait pas prévoir, le frère Antoine s'écarta juste à temps et le bloc, après l'avoir frôlé, termina sa course contre un frêne qu'il endommagea gravement.

Incrédule, muet de stupeur, le moine regardait alternativement la sente et le roc, puis il s'approcha de l'arbre et en constata les meurtrissures en hochant la tête. Le forgeron qui était accouru, tenant encore marteau et tenailles dans les mains, parvint à articuler :

— Bonté divine !... Ici... Et toi... Mais, par les cornes du diable, que se passe-t-il donc ici ?

Benoît examina longuement la sente et ses alentours immédiats.

— Il y a longtemps qu'ils sont partis, constata frère Antoine qui avait maîtrisé rapidement le tremblement de son corps. Pour rouler une masse pareille, ils devaient être au moins deux. Quant à ce pauvre frêne...

— ... s'il n'avait pas arrêté cette masse, elle serait allée ravager la maison qui est juste au-dessous et Dieu sait ce qu'il serait advenu du savetier et de sa famille qui y habitent...

— C'est tout ce que t'inspire le fait que je sois encore en vie par miracle !

— Crois-moi, ce miracle, nous allons l'arroser et plutôt deux fois qu'une !

Le forgeron s'approcha du moine pour une longue accolade.

— Ce que tu as dit concernant la maison d'en dessous me trotte par la tête, reprit frère Antoine. En somme, ceux qui voulaient me réduire en chair à saucisse n'ont pas hésité à mettre en danger la vie d'une famille qui n'a que le tort de se trouver sur le trajet d'une roche. Faut-il que pour eux je sois gênant et que l'affaire soit d'importance... Et puis, regarde un peu cette pente ! De la terre argileuse, pas le moindre roc... Celui qui me visait a donc été transporté... N'est-ce pas ?... On ira voir sur place. Mais d'où a-t-il été propulsé ?

Le moine resta un instant méditatif.

— Cela ajouté à tout le reste, murmura-t-il, décidément les canailles sont prêtes à tout... Mais tu avais parlé d'un certain cruchon de bon vin.

— Deux et plus, s'il le faut, ami.

— Et puisqu'on a parlé aussi de saucisse...

— J'ai compris, dit le forgeron, et...

— Un instant cependant, rendons à Dieu ce qui appartient à Dieu !

Le moine joignit les mains et, accompagné par maître Benoît, récita d'une voix forte une prière d'action de grâce.

CHAPITRE II

Quand ils revinrent à leur auberge, au début de l'après-midi, le frère Antoine et Timothée apprirent de la bouche de maître Marcel que « l'éminent abbé Erwin, après une frugale collation matinale prise dans sa chambre, avait reçu l'excellent Eldoïnus et qu'ensuite en tête-à-tête avec un pot d'hydromel il n'avait plus guère bougé sauf pour quelques pas, dans la rue ».

Le Pansu et le Goupil savaient que le Saxon, lorsqu'il entrait dans une humeur taciturne, était le plus souvent d'un commerce désagréable. Néanmoins ils décidèrent, non sans avoir pris conseil au préalable d'un gobelet de vin, de l'affronter, car ils estimèrent que les informations qu'ils avaient recueillies présentaient de l'intérêt pour la suite immédiate des investigations. L'abbé Erwin les accueillit sans mot dire, il leur fit signe de s'asseoir. Il écouta leurs récits d'un air distrait et sans faire aucun commentaire. Il ne parut prêter quelque attention à leurs rapports qu'au moment où le frère Antoine relata l'attentat dont il avait failli périr. Erwin, qui était debout à ce moment-là, se contenta de lui poser la main sur l'épaule d'une manière qui pouvait passer pour affectueuse et que le Pansu, en tout cas, interpréta comme telle.

Quand ses deux adjoints eurent terminé leurs comptes rendus, le Saxon demeura un moment silencieux, marchant de long en large dans la pièce. Puis, tout à trac, il leur demanda combien de gardes ils avaient rencontrés dans les rues ou près des entrepôts ou encore aux débarcadères. En ces derniers endroits, Timothée et le frère Antoine avaient bien aperçu des vigiles payés par les propriétaires des marchandises et chargés d'empêcher des vols, mais de gardes à proprement parler point. Erwin insista :

— Aucun... vraiment ?

— Certes, dit le Grec, nous avons peu déambulé. Mais pas de garde, pas l'ombre d'un seul !

— Important, très important, très grave, vraiment très préoccupant... estima le Saxon... Vraiment !

Il entreprit alors de donner à ses adjoints des indications concernant les démarches qu'ils devaient entreprendre en priorité. Soudain, avec une brusquerie qui déconcerta ses amis, il se dirigea vers la porte.

— Non, cela ne saurait attendre ! leur lança-t-il en partant.

Quand il eut quitté la pièce, le Grec dit posément :

— Si tu veux mon avis, Pansu, l'enquête a commencé à progresser sérieusement... dans sa tête.

— Il aurait pu nous en dire un peu plus quand même, releva le moine.

Timothée éclata de rire :

— Comme si tu ne le connaissais pas...

Erwin, sur le seuil de la salle où Sigbert et sa famille étaient attablés, s'arrêta un instant et examina sans mot dire convives et victuailles. Tous s'étaient arrêtés de manger et regardaient cet intrus de haute taille et au regard perçant. Le Saxon s'avança, saisit par le bras un adolescent, le mit debout d'une poigne ferme, l'écarta, se mit à sa place et, d'un geste, commanda à un domestique de lui apporter assiette, gobelet, cuiller et couteau. Il préleva ensuite sur un plat situé devant lui un morceau de venaison, se servit une louche de purée de fèves et commença à mastiquer la viande lentement. Le commandant de la milice lyonnaise s'était levé, muet de stupeur. Un serviteur vint précipitamment lui parler à l'oreille. Sigbert resta encore un long moment sans réaction, son visage exprimant alors une vive crainte. Il se reprit un peu et put enfin articuler, en s'inclinant profondément :

— Seigneur, maître, éminent missionnaire de...

— « Mon père » suffira, coupa l'abbé Erwin.

— Si j'avais su... Allons, levez-vous, vous autres !... Mais comment pouvais-je prévoir... un repas si indigne...

— Que doivent donc être ceux qui ne le sont pas ! jeta le Saxon.

— Mais, seigneur !

— Assis, j'ai dit : assis ! dit-il sans élever la voix.

— Si j'avais su... répéta Sigbert.

— Silence !... Eh bien, on entre ici comme dans une auberge !

— Seigneur...

Le Saxon foudroya du regard le commandant qui se tut, puis il recommença à manger. Son repas parut interminable à tous ceux de la tablée qui, muets, osaient à peine bouger et le regardaient terminer posément sa collation. Quand il eut fini, il déploya sa carcasse, alla se laver les mains dans un bassin et les essuya à un linge qu'une servante lui avait tendu.

— Combien de miliciens sous tes ordres ? demanda-t-il soudainement à Sigbert.

— C'est-à-dire... balbutia ce dernier.

— Fais venir ton intendant !... qui s'appelle ?

— Florian, seigneur.

— « Mon père » suffira ! Fais venir Florian ! J'attends.

Ce dernier était un petit homme aux yeux vifs, à la mine chafouine.

— Combien d'hommes dans cette garnison ? demanda le Saxon.

— Cinquante, éminent missionnaire...

— « Mon père » suffira.

S'adressant au commandant, l'abbé Erwin ordonna :

— Rassemblement immédiat ! Le temps de compter jusqu'à deux cents, je veux voir tout le monde dans la cour, et en armes !

Erwin gagna l'espace dégagé qui se trouvait devant les habitations des gardes, non loin de l'église Saint-Irénée sur le coteau qui domine la

Saône. Il attendit, impassible, sous le soleil déjà chaud, regardant la riche vallée et les toits de la ville basse lovée au bord de la rivière.

Un à un les miliciens se présentèrent en achevant de s'équiper et s'alignèrent tant bien que mal devant lui. Une fois le dernier arrivé, il patienta encore, interminablement. Il inspecta les gardes du regard et dit d'une voix dangereusement calme :

— Tous morts, pas un survivant... Je suis entré ici comme cela — il fit un geste de la main exprimant de la facilité — : ni obstacle, ni alerte... évidemment, quant à de la résistance...

Il marque une pause.

— Au lieu d'un homme seul, une troupe de bandits... Vous voici tous cueillis, un par un, et occis comme brebis à l'abattoir. Tous morts !

Nouvelle pause.

— S'il ne s'agissait que de gardes incapables et ineptes, vous, je me ferais facilement une raison, dit-il avec une lueur d'amusement féroce dans les yeux. Mais vous avez la charge de cette ville. Votre mort la laisserait à la merci des brigands. Et cette seule pensée me chauffe le sang !

Le Saxon se mit alors à compter les miliciens en passant lentement devant chacun d'eux.

— C'est tout ?

Le commandant Sigbert remua la tête d'une façon qui pouvait signifier aussi bien oui que non.

— Vingt-neuf, c'est tout ?

— Eh bien, bredouilla l'intendant, au printemps, avec les travaux des champs, les soins que réclament les troupeaux, dans l'intérêt de tous, certains, pour quelques heures — mais pour quelques heures seulement —, quand aucune menace ici...

— Ne perds pas ta salive et épargne-moi tes sottises, laissa tomber l'abbé. Aucune menace, dis-tu ? Mais ces bandes qui viennent piller et tuer jusqu'aux portes de la ville... une invention sans doute ? Moi qui ne suis ici que depuis peu, j'en ai été pleinement informé. Et ici, sur ce promontoire, on n'en saurait rien !... A moins qu'on ne s'en soucie pas... si ce n'est pire. Assez ! pas un mot !

Le missionnaire du souverain se fit alors présenter les glaives et les coutelas dont il essaya sur l'ongle le tranchant avec une moue de mépris ; il fit vider les carquois et vérifia l'état des flèches. Il toisa chaque homme de haut en bas — certains tremblaient comme feuille de peuplier — pour juger de son équipement, éprouvant notamment la solidité des boucliers. Arrivé devant l'un des gardes qui semblait affolé, il lui donna une bourrade qui le culbuta sur son cul.

— Courez ! commanda-t-il brusquement. Allons, plus vite !

Quelques hommes en armes durent s'arrêter rapidement hors d'haleine.

— De mieux en mieux, jugea le Saxon. J'en ai assez vu.

Il s'adressa alors à l'un des rares gardes qui avaient subi l'épreuve avec facilité :

— Toi, oui, toi ! Ton nom ?

— Arnold, mon père.

— Reste là !

L'abbé se tourna vers Florian.

— Tu reçois donc froment, huile, vin, viande et poissons, légumes, miel *et caetera* pour cinquante rationnaires ?

— C'est-à-dire ?

— Oui ? Non ?

— Oui, seigneur.

— « Mon père » suffira. J'en ai compté vingt-neuf... Où passe le reste ? Faut-il que je visite greniers, resserres et cellier ? Faut-il que je fasse entreprendre des recherches pour savoir sur quels marchés tu fais vendre ce que tu as volé ?

— Je t'assure, mon père...

— N'aggrave pas ton cas !... Je comprends maintenant pourquoi, Sigbert et toi, vous êtes si larges avec les miliciens aux champs. Un rationnaire de moins, ce sont des deniers en plus, et quand il y en a vingt et un de moins...

L'abbé se tourna vers le commandant.

— Tu acquiers ainsi, lui dit-il, les moyens d'une hospitalité vraiment très généreuse. Quelle tablée ! Et quelle table ! Mets abondants, recherchés, dignes d'un comte et, sans doute, les vins qui vont avec...

— Aujourd'hui, par exception, il est vrai... balbutia Sigbert.

— N'ajoute plus rien, je te le conseille, recommanda Erwin d'une voix sourde que la colère faisait trembler. Regarde plutôt cette milice, la tienne ! Pourrait-elle même effrayer des étourneaux ? Alors, devant une bande de pillards et d'assassins décidés ? Hein ?... Qui ne vaut rien ne peut rien. Comment ? Pourquoi ? Parce qu'une troupe vaut ce que vaut son chef et, de toute évidence, tu ne vaux rien !

Erwin fit un signe au garde Arnold.

— Choisis-moi, commanda-t-il, les deux hommes les moins piteux parmi ceux qui se tiennent là. Et au trot !

Lorsque Arnold revint, flanqué de deux gardes à vrai dire plutôt gaillards, mais figés de peur, le Saxon dit à Sigbert :

— Moi, missus dominicus, je te destitue sur-le champ. Tu seras conduit au monastère de l'île Barbe, placé sous bonne garde pour y attendre ton jugement. Toi, Florian, tu subiras le même sort. Toi, Arnold, aidé des deux hommes que tu as choisis, tu conduiras Sigbert et Florian où j'ai dit ; tu veilleras toi-même à ce qu'ils soient enfermés dans une cellule gardée. Tu diras à l'abbé qu'il recevra de moi, dans la journée même, confirmation de cela. Tu réponds sur ta vie de l'accomplissement de tout cela. A la moindre tentative de résistance, tu es autorisé à sévir.

L'ancien commandant et son intendant étaient devenus livides, suant et tremblant. Sigbert esquissa une protestation.

— Pas un mot ! ordonna le Saxon. Incurie, négligences, détournements, abus et j'en passe, voilà ce dont tu es accusé. Florian de même. C'est le roi que vous avez lésé. Vous passerez en jugement.

S'adressant ensuite aux gardes, le missionnaire annonça :

— Je décide de prendre moi-même en main cette milice. Ceux qui ne sont pas sur les rangs à cet instant seront destitués et sanctionnés. Un nouveau gestionnaire sera désigné sous peu. L'effectif sera complété par des hommes libres, courageux, et tout dévoués au roi. Ils recevront un entraînement efficace. J'y veillerai sans faiblesse... Toi, Arnold, je te désigne comme mon adjoint, à titre provisoire, pour ce commandement.

Arnold ploya le genou devant le Saxon et baissa humblement la tête.

— Ne t'en réjouis pas, dit Erwin. Désormais, ta responsabilité est lourde. Je sanctionnerai la moindre défaillance. Dans toute difficulté, si tu es avisé et brave, je te soutiendrai. Si tu réussis, le roi Charles le saura. Sinon...

Il retira à Sigbert son glaive dans son fourreau, le tendit au garde agenouillé et dit :

— Honore cette épée ! Oui, rends à cette arme son honneur ! — un ton plus bas : — Et commence par lui rendre son tranchant.

Il donna du temps à l'émotion, puis il invita Arnold à se relever. Alors, d'une voix calme, il ajouta avec un léger sourire :

— De tous ceux qui se prétendaient gardes dans la milice de Lyon, je te charge de conserver ceux qui tiennent debout, courent sans perdre leur souffle, savent se tenir à cheval, se servent de leur bouclier pour protéger leur face et leur poitrine et non leur cul, entretiennent leurs armes avec soin, et n'ignorent pas par quel bout on saisit un glaive. Je ferai compléter l'effectif de cette garde. Peut-être faudra-t-il l'augmenter. J'inspecterai moi-même tes recrues... Maintenant, occupe-toi de ces deux-là !

Arnold attacha avec des cordes les poignets de Sigbert puis de Florian, fit approcher sa monture, l'enfourcha, prit en main les bouts des cordes et sortit de la cour suivi des prisonniers à pied que surveillaient ceux qu'il avait choisis pour cette mission. Ils commencèrent à descendre vers la rivière, en route vers le monastère-prison.

Erwin, d'un geste de la main, renvoya dans leurs habitations les gardes, terrorisés par sa détermination froide plus qu'ils ne l'auraient été par une colère tonitruante. Il s'approcha du promontoire du haut duquel il pouvait apercevoir des maisons en contrebas.

Il fit une courte prière. Lyon était à ses pieds, ville cent fois pillée, meurtrie, saccagée par les invasions et les affrontements civils, ville qui s'était cent fois relevée. Dieu avait comblé de ses dons cette basse Bourgogne : le blé de la plaine, la volaille de la Bresse, les poissons de la Dombes, les troupeaux du Nord et du Sud fournissant toutes les viandes, le lait et les fromages, le miel des ruchers, sans oublier le vin des innombrables vignes plantées sur les coteaux sous un soleil généreux. Lyon était au centre de toutes ces richesses, desservie par des fleuves qui drainaient tout le nord de la Francie et descendaient jusqu'à la mer du Milieu que sillonnaient les vaisseaux de tous les empires. De Lyon partaient des routes qui rayonnaient vers les quatre points cardinaux. Pas étonnant qu'une telle cité eût été jalousée, convoitée, et tant de fois violée.

Dans ses murs œuvraient, venus de tous les cantons de l'univers, les meilleurs artisans du bois, de la pierre, du métal, des tissus... Elle était laborieuse et riche ; elle était austère, mais aussi joyeuse, aimant la bonne chère, la fête et, selon Timothée, licencieuse en secret.

Le comte du Lyonnais était une niquedouille, une nullité. Leidrade qui était, en tant qu'évêque, le véritable maître du comté avait à peine pris ses fonctions, étant sans cesse occupé par le service immédiat du roi. Eldoïnus n'était qu'un honnête clerc qui rêvait de retraites pieuses. Le hasard d'une mission lui avait remis à lui, Erwin, le destin de cette cité opulente et nombreuse, de ses milliers d'habitants, hommes libres et esclaves, femmes et enfants, Burgondes, Francs, Lombards, Juifs et autres, et cela tandis que dans l'ombre — il le sentait dans toutes ses fibres — se tramaient des entreprises perverses et dangereuses conduites par des coquins sans scrupule, prêts aux pires forfaits — on l'avait bien vu — et dont il ne discernait encore ni le dispositif, ni les objectifs... Quoique déjà...

Comme il regretta à cet instant que son ami, le comte Childebrand, n'eût pas été désigné par le roi comme autre missus dominicus (contrairement à la règle qui voulait que les représentants du souverain opèrent toujours par deux) pour lui apporter le réconfort de son bon sens et de ses connaissances militaires.

L'abbé saxon ferma les yeux. Depuis qu'il

54

avait quitté sa Northumbrie[1] natale pour passer finalement, à travers mille péripéties et en surmontant mille difficultés, au service du roi Charles, chargé des affaires les plus délicates, le secours et les lumières du Très-Haut ne lui avaient jamais manqué pour l'accomplissement de ses tâches. Il le supplia, de nouveau, de ne pas l'abandonner et de lui montrer le juste chemin.

Puis il s'approcha de son cheval que tenait un valet ; il l'enfourcha et descendit vers sa ville.

Timothée passait pour la deuxième fois devant l'enceinte du cloître des chanoines qui était encore, pour partie, en construction, tandis qu'à côté on se hâtait de terminer un grand bâtiment à étage digne de recevoir le roi. Il reprit à pas lents ses recherches autour de l'ensemble épiscopal. Il passa devant l'église Sainte-Croix, le baptistère Saint-Étienne et, de là, il gagna la *maxima ecclesia* dédiée à saint Jean le Baptiste. Puis il revint à son point de départ non loin des bords de la Saône, devant le cloître.

Le nouvel évêque, Leidrade l'industrieux, aurait fort à entreprendre pour redonner à tous ces édifices une allure digne du roi et une grandeur digne de Dieu. Il pensa en souriant qu'il n'était nul besoin d'un baptistère pour consacrer les enfants au Sauveur car, les jours de pluie, l'eau du ciel, passant par les béances des toitures, devait largement y suffire. Quant aux moyens de la

1. Royaume situé en Grande-Bretagne et peuplé d'Angles et de Saxons, avec pour capitale York.

reconstruction, Leidrade, ami de Théodulf, d'Alcuin et de tant d'autres conseillers proches du roi, devrait en être largement pourvu et en faire bon usage, à condition évidemment qu'il fût enfin sur place et non pas retenu sans cesse auprès du souverain.

Le Grec s'efforça alors de tirer les premières leçons de son exploration. Le cloître, donc, était en principe bien clos et son portail surveillé. Cependant, un peu partout, des brèches dans les murs, des ouvertures dans les palissades offraient cent possibilités de fuite à quelqu'un de décidé et connaissant bien les lieux.

Cette dernière observation retint son attention. Qui se serait risqué à échapper à une poursuite sans avoir en tête un cheminement sûr, soit qu'il l'eût repéré par avance, soit qu'il habitât le quartier ? Cependant l'agresseur du frère Yves n'avait-il pas pu tenter de leurrer son poursuivant en faisant croire qu'il s'efforçait de gagner l'extérieur ? Peut-être, après un crochet, avait-il trouvé un refuge dans le bâtiment même, dont l'état, inachevé, offrait de nombreuses caches ? Peut-être même logeait-il au cloître ? Comment avait-il pu, lui, Timothée, quitter cet édifice la nuit précédente sans demander à ceux qui y demeuraient s'ils n'avaient pas vu l'un des leurs, ou quelqu'un, regagner furtivement une cellule ? Il se consola en estimant qu'il était toujours temps de procéder à une telle enquête. Elle était devenue d'autant plus nécessaire que celle qu'il avait menée à l'extérieur n'avait produit aucun résultat. Aucun de ceux qu'il avait interrogés, négociants, artisans ou autres, n'avait aperçu à la mi-nuit le moindre fuyard. Or beaucoup avaient été réveillés par le tapage qu'avaient mené, intentionnellement, les aides du Saxon pour faire ouvrir la porte du cloître.

Non loin du débarcadère de l'évêché, quelques maisons enserraient une place sur laquelle des marchands avaient installé leurs étals. Il y avait aussi des vendeurs de « bugnes[1] » ambulants, des saltimbanques, des diseuses de bonne aventure et des conteurs. C'était toujours plus ou moins jour de foire sur cette place, carrefour de portefaix, de commerçants et de badauds.

Timothée remarqua une jeune fille qui vendait des fruits secs et du miel, ainsi que des herbes aromatiques et des plantes condimentaires, des oignons et des aulx, et qui le regardait avec attention. Il s'approcha d'elle et, comme il allait lui adresser la parole, elle le devança :

— Je sais que tu loges à l'*Auberge des Quatre Cavaliers*, que tu obéis à un abbé à la mine sévère et que tu appartiens au roi, dit-elle en pouffant devant la surprise du Goupil.

— Eh bien, moi qui voulais passer inaperçu ! remarqua-t-il, en prenant à son tour le parti de rire. Mais tu es bien effrontée, dis-moi...

— Et toi, tu as l'air bien embarrassé. Quant à passer inaperçu, avec ton vêtement, ta mine et ta barbe en collier ?...

Elle rit de nouveau.

— Comment t'appelles-tu ? demanda Timothée.

1. Sortes de beignets.

— Lithaire pour te servir, seigneur... Mais pas en tout, car je suis sage.

— Avec la langue bien pendue. Mais, Lithaire, ce n'est pas un nom d'ici ?

— Ma famille vient des bords de la mer Occidentale. Elle en a été chassée par les ravages des hommes du Nord. Elle s'est installée ici il y a dix-huit ans. Je suis née dans cette ville. Je la connais donc mieux que toi.

— Nulle peine à cela. Tu habites par là ?

— En haut de cette maison-ci, avec mon frère et mon père.

— Ta mère ?

— Elle est morte il y a dix ans.

— Dieu aura pris soin de son âme. Et ton père ?

— C'est cet homme là-bas qui présente des tours de force.

C'était un gaillard à la musculature puissante et qui, devant un cercle d'admirateurs, faisait des acrobaties avec un jeune homme plus mince que lui, mais non moins robuste.

— Le plus jeune est donc ton frère, constata le Grec.

Elle approuva de la tête puis ajouta avec fierté :

— Mais je sais aussi faire des tours. Les jours de grande foire, nous montrons la « pyramide » et faisons du « main à main » tous les trois. Que veux-tu, seigneur, il faut bien gagner sa soupe et mon étal n'y suffit pas. Pour les fêtes, les chalands boivent, quand ils sont « bus », ils sont généreux pour les acrobates et la quête paie du poisson ou une pièce d'étoffe.

Le Goupil, sans bouger, se mit à réfléchir.

— Lithaire, il est possible que je vous apporte, moi, quelques beaux deniers...

Il arrêta de la main une protestation :

— Non, non, Lithaire, sans rien exiger de honteux ! D'ailleurs, c'est avec ton père que je vais en discuter. Quelle est la taverne la plus proche d'ici ?

— Celle de la *Colombe*. Mais le vin y est cher.

— Peu importe. Préviens ton père que je l'y attends. Tu sais que je suis au roi. C'est donc une demande que je lui fais, mais, si nécessaire, c'est un ordre.

— Ce ne sera pas nécessaire. Raoul, mon père, que chacun ici appelle « Rouvre », comme l'arbre, est tout dévoué au roi.

A l'auberge, Timothée ne l'attendit pas longtemps car le saltimbanque s'était hâté ; il avait laissé son fils amuser les badauds avec des tours de passe-passe. Le Grec commanda un flacon de très bon vin accompagné de saucisses et de fromage pour en exalter le bouquet.

Pour satisfaire la curiosité des autres clients qui tendaient l'oreille, il confia à Raoul son intention d'organiser en l'honneur de son maître un banquet au cours duquel se produiraient acrobates et jongleurs. Tant qu'ils furent attablés il s'étendit verbeusement sur ce sujet donnant même l'impression d'être légèrement pris de boisson. Visiblement, le Rouvre s'interrogeait sur le sérieux de son hôte.

La collation terminée, le Grec lui proposa de continuer à examiner le déroulement des festivités prévues, en faisant quelques pas dans la rue : l'air frais lui ferait du bien. Une fois dehors, il changea d'allure et de ton.

— Nous avons donné de la pâture aux curieux, venons-en maintenant au fait ! murmura-t-il. Mais je n'irai plus avant que si tu t'engages sur ta vie à ne rien révéler de ce que je te dirai désormais.

— Je sais bonimenter, je ne suis pas bavard, répondit Raoul.

— Je te demande beaucoup plus, c'est de te taire.

L'acrobate approuva de la tête.

— Voici donc, reprit Timothée : nous menons ici pour le compte du roi des investigations. Des faits graves se sont produits, très graves...

— Le bruit en a déjà couru. On parle d'un meurtre sur l'île, d'un autre à côté d'ici, dans le cloître. Tu penses bien que le transport d'un corps par les rues, puis, plus tard, tout ce tapage devant le portail de l'évêché ne pouvaient passer inaperçus. Ce que trois savent, tous le savent bientôt.

— Apparemment.

— Pas inaperçue non plus l'installation à l'auberge la plus chère de Lyon de cavaliers devant lesquels maître Marcel multiplie les courbettes avec des paroles de très grand respect. Marmitons et serveurs ont des oreilles.

— Et aussi des langues, évidemment. Te voilà donc au courant et tes enfants aussi, sans doute.

— Sans aucun doute.

Le Grec caressa son visage d'un air méditatif.

— Acceptes-tu de nous aider ? demanda-t-il soudainement. Nous autres, étrangers à la ville, nous sommes visibles comme mouche sur le lait. Or certaines recherches demanderont de la discrétion. Si tu acceptes, tu n'y perdras pas, sois-en certain, et tu serviras ton roi.

— Je n'ai pas besoin de tes deniers pour servir le roi qui est aussi protecteur des saltimbanques comme nous.

— Mais tu en auras besoin pour bien le servir. Dans le genre d'affaires où tu acceptes d'entrer, si je t'ai bien compris, l'argent est au début, au milieu et à la fin. Tu auras ce qu'il faut et ce qui se doit...

— Je t'écoute.

— Donc, précisa le Goupil, sous le prétexte de ce banquet qu'après tout nous organiserons peut-être, tu pourras aussi souvent que nécessaire te rendre à l'*Auberge des Quatre Cavaliers* ou bien, pour des messages simples et sans risque, y envoyer l'un de tes enfants.

— Mon fils et ma fille sont au moins aussi avisés et habiles que moi.

— Sans doute, mais il y a des choses que je ne confierai qu'à toi, et d'autres choses que tu seras seul à pouvoir me confier. Tout cela, je le répète, sous le sceau du secret le plus absolu.

— J'ai déjà promis, répondit le Rouvre.

— Voici ta première mission.

Le Grec revint alors sur les drames qui s'étaient produits la nuit précédente, sur sa course poursuite et sur les résultats décevants de sa propre enquête. Raoul devait bien comprendre qu'il était capital de savoir si l'agresseur de frère Yves était venu de l'extérieur du cloître et en était reparti ou bien s'il se cachait toujours dans l'édifice, voire y logeait. Les serviteurs des clercs, des chanoines n'étaient pas tous forcément discrets. Ils avaient sûrement commenté entre eux les événements, formulé des hypothèses, évoqué des soupçons, confronté leurs observations... Il y avait là de bons renseignements à glaner. « Il n'y a pas comme des deniers pour délier la langue de ces gens-là. »

— L'appât du gain, hélas ! fait agir et parler plus de femmes et d'hommes, ajouta le Goupil, qu'un attachement désintéressé au souverain comme le tien.

Il tendit une bourse au saltimbanque.

— Voici déjà de quoi apaiser quelques scrupules. Mène une enquête discrète ; plutôt que d'offrir des deniers à ceux que tu interrogeras sans en avoir l'air — ce qui leur paraîtrait suspect —, multiplie plutôt les invitations à faire bombance, prétextant de quelques avantages qui te seraient échus inopinément ou des bonnes recettes de ton art. Et je peux aussi avoir fait quelques avances en prévision de notre fameux banquet.

Avant de le quitter, le Grec dit encore à Raoul :

— Sois très prudent ! Nous avons affaire à des canailles. Méfie-toi de toute personne que tu ne connaîtrais pas bien ! Questionne le moins possible ! Laisse venir les confidences en semblant même, parfois, ne pas y prêter attention, ou en mettant en doute la véracité de ce qu'on te rapporte ! Quand tu auras recueilli des renseignements importants, viens toi-même à notre auberge sans tarder.

— Tu me l'as déjà dit.

— Sans doute, mais sache qu'à partir d'une information de valeur, en agissant vite, on peut obtenir des résultats décisifs : savoir bien, faire vite sont les deux secrets de la réussite.

Après un silence, Timothée ajouta :

— Et puis, même si je me répète, je te conseille d'être très méfiant et très prudent. Prends garde à la nuit et à l'ombre, car ceux contre qui nous combattons sont hommes de l'obscurité.

Le Grec, après ces ultimes recommandations, quitta Raoul le Rouvre qui retourna à ses acrobaties, et il décida de revenir à l'auberge en passant par le quartier qu'habitaient les Juifs. Ceux-ci avaient évidemment leurs entrepôts sur les bords de la Saône, l'un d'eux, en amont de Lyon, étant réservé au commerce des esclaves ; mais ils demeuraient pour la plupart dans des maisons qui bordaient deux rues situées au pied de la colline et parallèles à la rivière.

Il constata de nouveau avec quelle facilité les Juifs avaient marié les arts et activités de l'Orient à ceux de l'Occident. Il vit des artisans qui martelaient le cuivre à la façon des Sarrasins, d'autres qui travaillaient le cuir comme en pays andalou[1], des forgerons qui façonnaient les métaux comme de vrais Francs ; il vit des pâtissiers qui offraient toutes sortes de beignets, gâteaux et douceurs, des bouchers qui vendaient des viandes provenant d'animaux tués d'une manière que Juifs et Maho-

1. C'est-à-dire toute l'Espagne musulmane.

métans estiment seule rituelle, il vit des marchands qui proposaient étoffes et tapis précieux comme on sait en tisser en Asie et en Afrique mais non en Occident; il vit aussi des écrivains publics sachant rédiger en plusieurs langues; il vit des prêteurs à l'activité lucrative mais à la renommée détestable; il vit des bijoutiers, des changeurs. Il entendit, passant devant une sorte de taverne, une mélopée de là-bas.

Peu de femmes dans les rues sinon très jeunes, les unes vêtues simplement, sinon pauvrement, les autres enfouies sous des parures somptueuses. Certains hommes, plus pieux que les autres peut-être, habillés d'une façon apparemment austère, mais riche cependant, cheminaient avec gravité; ils semblaient perdus dans leurs pensées et étaient l'objet d'un respect particulier. Des rabbins, des savants, des sages? Bien qu'il y eût dans ce quartier, comme dans bien d'autres, des riches et des miséreux, des humbles et des puissants, l'ensemble respirait l'aisance. C'était aussi comme un air d'ailleurs qui fit venir au cœur de Timothée une onde de nostalgie : celle de cet Orient dont il était originaire, de sa Bithynie, de cette incomparable Constantinople, la jamais oubliée, et dont intrigue et haine l'avaient chassé.

Comme il arrivait aux dernières maisons du quartier, son attention fut attirée par une altercation entre deux vendeurs ambulants de boissons fraîches juste derrière lui. Il s'arrêta pile et se retourna. Un léger bourdonnement... il se tourna de nouveau : une flèche venait de se ficher dans le montant d'une porte devant laquelle il allait passer. N'eût été la dispute de ces marchands, il était transpercé ! Stupéfait, il examina le trait et déjà quelques passants, non moins étonnés que lui, s'arrêtaient et commençaient à commenter l'événement dans une langue qu'il ne comprenait pas. A la façon dont la flèche s'était plantée, elle avait dû être tirée d'un balcon ou d'un toit. Timothée, comme les autres personnes qui se trouvaient là, jeta un regard vers le haut, sachant pertinemment cependant que le tireur avait eu largement le temps de s'éclipser.

Le propriétaire de la maison était apparu sur le pas de sa porte. Il regarda avec ahurissement le trait enfoncé dans le chambranle. Son visage ne tarda pas à exprimer de la crainte. Il insista auprès de Timothée pour qu'ils se rendent ensemble chez le gaon afin de le mettre au courant. L'incident était à ses yeux lourd d'éventuelles conséquences très graves.

— Il y a tant d'envie, de médisances... partout, se lamentait-il. Qu'un de nos hôtes — et quel hôte — qui nous honorait de sa visite ait failli être la victime d'une agression aussi ignoble... aussi infâme... aussi barbare...

Tandis que l'homme continuait à exprimer son indignation, le Goupil réfléchissait en lissant sa barbe d'un geste machinal. Moins on ferait de bruit à propos de ce qui venait de se produire, mieux cela vaudrait pour l'enquête conduite par le missus dominicus. On n'en savait déjà que trop à Lyon sur Erwin et ses aides ainsi que sur les dernières péripéties. Il décida de calmer les esprits, de minimiser l'affaire pour éviter à tout prix des immixtions.

— Vraiment, dit-il, je ne crois pas qu'aucun d'entre vous aurait pu nourrir l'idée saugrenue d'attenter à la vie d'un visiteur. Et pour quoi faire, grands dieux ? Et ici ?... En plus, je ne vois pas comment de ta propre maison tu aurais pu tirer une flèche qui serait venue se planter comme l'est celle-ci, à moins d'avoir un arc à tirer dans les coins...

Cette boutade détendit un peu l'atmosphère. Mais les mines restaient graves et, visiblement, les esprits préoccupés. Le Grec, pour dissimuler les véritables circonstances de l'attentat, se lança alors dans une improvisation hardie.

— De toute façon, enchaîna-t-il, je n'ai pas été touché et il y a gros à parier qu'on ne souhaitait pas m'atteindre. Regardez comme ce trait est entré profondément dans ce bois pourtant dur ! Il a donc été tiré de près. Un archer tant soit peu habile ne pouvait me manquer, sauf s'il le voulait bien entendu.

— Voilà, voilà, s'écria son interlocuteur. Tu as raison, certainement raison !... Il a raison, n'est-ce pas ?

Un murmure d'approbation accueillit cette déclaration.

— Mais alors, poursuivit l'homme, pourquoi avoir décoché cette flèche ?... Pourquoi... Comment savoir ?... Je te vois encore tout ému... Accepterais-tu de venir boire avec mes fils et moi-même un gobelet de vin aux aromates ? Nous le faisons nous-mêmes. Il est souverain contre les émotions et aussi, gobelet en main, on réfléchit mieux.

Le Grec le remercia chaleureusement.

— Ton offre me réjouit le cœur, dit-il. Mais je crois qu'il y a plus urgent : pour toi d'aller tout de même mettre au courant le « Maître des Juifs » ainsi que le chef de votre communauté, et pour moi de faire de même avec mon maître... Quant à la raison pour laquelle on m'a visé sans apparemment chercher à m'atteindre, c'est moi que cela regarde. Pourquoi on a choisi ce quartier-ci pour le faire, c'est encore moi que cela regarde, mais, pour le coup, cela vous regarde aussi. Si vous avez des soupçons, des indications, des informations sur ces différents points, vous avez obligation de venir me le dire. Je sais d'ailleurs que vous n'y manquerez pas. Je demeure...

— Nous savons qui tu es et où tu demeures, seigneur.

— Je ne suis pas un seigneur. J'en sers un.

— Oui, mais un missionnaire du bon roi Charles (que l'Éternel lui accorde longue vie !).

Timothée ne répondit rien. Il cassa la flèche et saisit la partie qui portait l'empennage.

— Je te laisse, dit-il au propriétaire de la maison, la pointe de ce trait en souvenir de ce jour. Elle t'appartient puisqu'elle est chez toi, solidement installée.

Quelques rires fusèrent. Le Grec s'éloigna rapidement tandis que les passants attroupés continuaient à commenter abondamment l'événement.

— C'est égal, murmura le Goupil pour lui-même, il s'en est fallu d'un rien.

Il se détourna un peu du chemin qui conduisait à l'*Auberge des Quatre Cavaliers*, et se rendit à l'église Saint-Paul. Il s'y agenouilla pour une longue oraison. Que peut la ruse d'un homme sans la protection du Ciel?

A l'embarcadère, le moine trouva deux gardes, bien armés mais sans broigne[1], qui s'approchèrent de lui.

— Le père Antoine? demanda l'un d'eux.

— Le frère Antoine, rectifia le Pansu. Que voulez-vous?

— Nous te sommes envoyés par celui qui est à présent notre chef sur ordre de ton maître. Nous devons t'accompagner et veiller sur toi.

— Je n'ai pas besoin de vous. Je sais me défendre moi-même.

— Mais tu es sans arme!

— En apparence seulement.

Le moine montra alors trois couteaux dans leurs gaines à sa ceinture. Avec une dextérité stupéfiante il en saisit un qui partit comme un éclair se planter dans un poteau d'amarrage. Les gardes en étaient médusés. Le plus jeune alla retirer, non sans peine, le couteau de l'endroit où il s'était enfoncé et vint le rendre au Pansu.

— Donc, estima celui-ci, je n'ai pas besoin de vous.

— Nous ne pouvons pas te laisser. Nous avons reçu un ordre, dit le plus ancien.

— Alors, si c'est un ordre... admit le frère Antoine.

1. Armure de cuir recouverte de plaques de métal.

Les deux gardes avaient réquisitionné un bateau avec quatre rameurs qui ne paraissaient guère satisfaits de voir la rétribution d'une demi-journée de labeur leur passer sous le nez. Le Pansu avait horreur des mines constipées et estimait dangereux, en outre, d'accomplir une mission avec des aides qui traînent les pieds. Il envoya donc l'un des bateliers acheter à la taverne la plus proche trois flacons de vin qui, dégustés sur-le-champ, déridèrent les visages et réchauffèrent les zèles.

La traversée de la Saône jusqu'à l'île d'Ainay fut rendue assez pénible par le cours tumultueux de la rivière qu'avaient grossie les pluies des derniers jours. L'embarcation faillit s'échouer sur un de ces îlots de sable et de terre limoneux qui affleuraient à peine la surface (des « brotteaux ») et qui abondaient entre la pointe de l'île et le confluent de la Saône et du Rhône. Les rameurs parvinrent à nager jusqu'à une sorte de plage d'où partait un chemin conduisant au monastère.

Le frère Antoine examina un long moment l'endroit où avait été trouvé Ebles, mort, le portail lui-même et ses montants. Il décrivit un arc de cercle assez large devant le lieu de l'assassinat et observa attentivement le sol. Puis il revint devant la porte, se fit connaître et demanda à rencontrer le supérieur du couvent.

— Le père Ambroise lui-même ? s'étonna le frère portier en observant son vis-à-vis qui avait revêtu une tunique de lin très simple.

— Lui-même et sans tarder.

— Mais il dirige l'office de none[1].

— Il n'en aura pas jusqu'à la onzième heure[2], je gage, répondit le moine. En attendant, mène-moi donc au scriptorium !

— C'est que les frères sont précisément à none.

— Raison de plus !

Cette réponse démonta le portier qui entreprit de guider son visiteur vers le scriptorium. Chemin faisant, celui-ci observa la disposition des lieux, le déambulatoire, le couloir sur lequel donnaient les cellules, l'emplacement des resserres, des cuisines et du réfectoire...

Ils arrivèrent enfin au scriptorium qui était effectivement désert. Il comportait une quinzaine de postes de travail. Le frère Antoine jeta un œil sur les manuscrits recopiés qui étaient restés ouverts à la page en cours de transcription : des textes sacrés, des extraits de l'*Histoire naturelle* de Pline l'Ancien, de l'*Encyclopédie* d'Isidore de Séville, de la *Vie des douze Césars* de Suétone, et aussi de l'Admonition Générale de 789[3] en plusieurs exemplaires.

Sur l'un des pupitres il put lire une lettre qui contenait un passage évoquant « une mission accomplie à temps mais incomplètement », ce qui

1. Office célébré à la neuvième heure du jour.
2. Le jour était divisé en douze heures du lever au coucher du soleil et la nuit en douze heures du coucher au lever et cela quelle que soit l'époque de l'année. La durée de chaque heure dépendait donc de la date et du lieu.
3. Dans ce capitulaire *Admonitio Generalis*, Charlemagne expose l'ensemble des principes qu'il s'est fixés pour son règne.

ne laissa pas de l'intriguer. Le moine s'intéressa particulièrement aux parchemins, ainsi qu'aux plumes et aux encres, utilisés pour les copies.

Comme il poursuivait cette visite improvisée, le supérieur, accompagné de plusieurs moines, fit irruption et, l'air courroucé, lança au visiteur :

— Que me dit-on ? Que vois-je de mes yeux ? Sans que j'en aie été seulement averti, sans que je l'aie autorisé, te voici en train d'inspecter *mon* scriptorium !

L'adjoint du *missus dominicus* regarda l'abbé Ambroise avec un sourire aux lèvres et demeura un long moment ainsi, sans mot dire. Le supérieur, encouragé par ce mutisme, le prit de haut :

— J'aimerais bien savoir, lança-t-il, ce qui a pu te conduire ici !

— Mais le frère portier tout simplement, répondit le visiteur toujours souriant... Sur ma demande, il est vrai.

— Je persiste à ne pas voir ce qui t'autorisait...

— Oh, coupa le moine qui changea de physionomie et de ton, tu commences à m'échauffer la bile ! J'aimerais bien savoir, moi, et l'envoyé du souverain aussi, dans quelles circonstances exactes un missionnaire de la chancellerie royale a péri, percé de coups de dague, devant la porte de *ton* monastère.

— J'ai déjà indiqué au seigneur Erwin...

— Rien qui vaille ! A reprendre !

A ce moment des cris perçants retentirent par trois fois. Alerté, l'abbé Ambroise demanda à l'un de ses aides d'aller voir ce qui se passait. Le frère Antoine l'arrêta :

— Inutile, expliqua-t-il. C'étaient mes gardes qui se faisaient la voix. Les clameurs portent moins dans la journée que la nuit. Cependant, mes gardes étant à l'extérieur, on les a parfaitement entendus dans cette salle. La nuit dernière, quoique tu fusses éveillé et en prière, dans le silence de la mi-nuit, tu n'aurais rien entendu ?

— Qui donc aurait crié ? repartit l'abbé. Le malheureux qui est tombé percé de coups mortels ?

— Pourquoi pas, s'il a eu le temps d'appeler à l'aide ?

— Ce soupçon est intolérable ! jeta Ambroise.

— Il te faudra bien le tolérer quand même, riposta l'enquêteur. Mais venons-en à l'essentiel. Je crois que nous serions mieux pour en discuter dans ton logis personnel, en tête-à-tête.

Le supérieur, à contrecœur, avec un visage qui montrait sa réprobation, y conduisit son interlocuteur qu'escortaient toujours ses deux gardes, lesquels se tinrent de part et d'autre de la porte qui s'ouvrait sur ce logis. Là, le père Ambroise s'assit sans même inviter le frère Antoine à en faire autant. Ce dernier cala, sans un mot, sa masse imposante sur un siège qui gémit sous son poids.

— Mon maître, dit-il sans préambule, désire savoir exactement le nombre de moines qui appartiennent à ton couvent, le nombre des serviteurs et aides de toutes fonctions, si tous les moines sont présents, si vous recevez et hébergez des visiteurs, des voyageurs de passage, hommes d'Église ou autres, des personnes faisant retraite, si vous en recevez présentement, si certains ont été reçus récemment, si certains sont partis il y a peu.

— Suis-je obligé de me plier à cette inquisition? demanda l'abbé d'un air outré.

— Pas forcément ici, répondit l'enquêteur d'un ton suave. Si tu préfères que notre entretien se déroule à l'*Auberge des Quatre Cavaliers*, mes gardes qui sont là se feront un devoir et un plaisir de nous y escorter.

L'abbé haussa les épaules d'une manière qu'il voulait à la fois résignée et méprisante.

— Après tout, murmura-t-il, quelle importance... Mon monastère abrite exactement quarante-six personnes dont trente-huit moines.

— Tous présents?

— Huit sont en déplacement : pour veiller à nos approvisionnements, pour emprunter ou rapporter des manuscrits, pour livrer des copies que nous avons faites. Tu as demandé si nous hébergeons ici des pèlerins et autres voyageurs. En effet, six cellules sont réservées aux hôtes de passage. C'est un devoir de charité.

— Bien entendu.

— Récemment sont passés par ici deux moines venant de Luxeuil, des Irlandais, qui se rendaient à Bobbio, deux jeunes clercs frisons en route pour Rome et trois voyageurs venant du pèlerinage de Saint-Martin de Tours et qui rentraient à Pavie.

— Appartiennent-ils au fils de Charles, à Pépin, roi d'Italie?

— Je ne saurais te le dire, répliqua l'abbé. On

te donnera les noms de tous les visiteurs si tu le souhaites.

L'enquêteur indiqua qu'il n'en avait pas besoin pour l'instant.

— Et puis, les noms... dit-il avec une moue. En revanche, j'aimerais savoir si tu connaissais l'un d'eux ou si quelqu'un ici connaissait l'un d'entre eux.

— Pas moi, ni aucun de ceux qui sont ici.

— Tous ces visiteurs sont repartis ?

L'abbé Ambroise approuva de la tête.

— Certains récemment ?

— Les trois visiteurs que je t'ai dit avant-hier.

— Hébergez-vous d'autres voyageurs actuellement ?

— Oui, répondit l'abbé Ambroise avec une nuance d'énervement dans la voix. Deux saints hommes qui venaient de Metz et qui veulent terminer leurs vies en tête-à-tête avec Dieu dans un ermitage des Alpes.

Le frère Antoine médita un long moment avant de reprendre dans un silence lourd :

— As-tu la moindre idée de la raison pour laquelle le maréchal Ebles a été assassiné ?

— Pas la moindre.

— Est-il possible que le meurtrier soit venu de l'intérieur même du monastère et y soit rentré, son forfait accompli ?

— Tout est possible. Mais c'est très improbable. Le frère portier...

— Il dormait.

— Le portail est massif. On ne l'ouvrirait pas sans faire beaucoup de bruit. Il aurait été réveillé.

Quant à la palissade qui entoure le couvent, elle est élevée et difficilement franchissable.

— Et en passant par la chapelle ?

— Elle n'a sur l'extérieur qu'une porte constamment verrouillée... Mais pourquoi ne pas accepter que le ou les assassins sont venus de la ville même ?

Le frère Antoine réfléchit à nouveau avant de répondre, toujours aussi souriant :

— Si, comme tu le dis, ton monastère est hermétiquement clos la nuit, je ne peux qu'être d'accord avec toi. Et puis j'ai aussi mes raisons de croire qu'ils sont venus, en effet, de l'extérieur... Mais laissons cela !

Un peu radouci, l'abbé Ambroise se leva pour appeler un serviteur auquel il demanda d'apporter une légère collation.

— N'en fais rien ! intervint le Pansu. Je vais partir avant longtemps. Encore un ou deux points... Par exemple, parmi les visiteurs, rien qui puisse faire suspecter l'un ou l'autre ?

— Je ne vois rien.

Le frère Antoine se leva lentement.

— Involontairement, bien sûr, dit-il, j'ai parcouru au scriptorium une lettre qui était restée sur un pupitre de copie. Il y est question d'une mission effectuée incomplètement. De quoi s'agit-il selon toi ?

— Vraiment !... commença l'abbé d'un ton exaspéré.

Puis il se ressaisit et précisa :

— Il s'agit sans nul doute d'une copie de la *Vie des douze Césars* de Suétone que nous a demandée l'évêché de Mâcon et dont nous n'avons pu livrer à temps que la première partie.

— Voilà qui est clair. Et cette lettre d'excuses allait être bientôt remise à l'évêque en question ?

— Naturellement !

— Naturellement, répéta le moine. Voilà, j'en ai terminé. Le temps pour moi de faire quelques pas du côté de l'enceinte de ton couvent, à l'intérieur comme à l'extérieur, et nous regagnerons la cité. Je te remercie pour ton hospitalité... et ta patience. Nous nous reverrons certainement.

— Je t'accompagne.

Comme ils arrivaient à la porte du logis, le moine sembla se raviser.

— J'oubliais, dit-il. Quelqu'un ici pourrait-il confirmer que des inconnus, avant l'éminent Erwin, son aide et ses serviteurs, sont arrivés dans cette île puis en sont repartis ?

— Personne ici, je crois. Tu as vu la disposition de mon monastère... Et la nuit...

Le frère Antoine approuva. Puis il se rendit en tous les endroits où l'on pouvait éventuellement franchir l'enceinte, à la porte principale, aux petites portes qui donnaient sur les jardins et qui étaient effectivement verrouillées de l'intérieur. Après avoir pris congé de l'abbé Ambroise, il fit, à l'extérieur cette fois, le tour de cette enceinte en observant minutieusement la palissade et le sol.

A mi-chemin du monastère et de la rive, il rencontra un homme, un colon, qui travaillait sur le potager du couvent. Il lui demanda si, la nuit précédente, il avait entendu marcher ou courir des hommes qui seraient venus de la rive droite de la rivière et y seraient retournés. Le jardinier, figé par le respect et la crainte, paraissait incapable d'articuler un seul mot. Après une rasade de vin tirée de la gourde inépuisable du Pansu, il finit par dire qu'il avait bien observé « les seigneurs qui avaient été reçus par le supérieur après — à ce qu'on disait — la découverte d'un malheureux trépassé devant la grande porte, Dieu ait son âme ! ».

— Et avant ? insista le frère Antoine.

Le jardinier indiqua qu'il avait été réveillé par des bruits, « des bruits de pas, sans doute, comme par des hommes cheminant sur le sentier boueux et dans les herbes hautes ». Mais il n'avait pas osé aller y voir de près.

— Cependant, tu n'as pas eu peur d'observer par la suite l'arrivée de mon maître.

— Non. J'étais bien réveillé. Il y avait les torches. Les malfaisants n'éclairent pas leur chemin. Et puis j'ai entendu qu'on ouvrait la grande porte. Ça m'a rassuré.

— Rien d'autre par la suite ?

— Non ! Après le départ de ton maître et de son escorte, plus rien !

Une petite pièce et une dernière rasade remercièrent le jardinier qui multiplia les salutations obséquieuses.

Sur le chemin du retour, le frère Antoine, perdu dans ses pensées, ne desserra pas les dents.

Au débarcadère, il donna quelques deniers aux bateliers qui n'en attendaient pas tant. Puis, avant de les quitter, il leur demanda si, à leur connaissance, la nuit dernière, un bateau avait accosté sur la rive droite.

— Pas ici, répondit le chef des rameurs. Mais il y a eu des rumeurs comme ça. Les uns disent trois hommes, les autres quatre. Mais, pour sûr, il y a eu quelque chose comme ça, du côté de Sainte-Eulalie.

Le frère Antoine soupira : il n'allait pas être facile de délier les langues sur ce sujet ; on n'ignorait plus en ville le drame qui s'était produit à la porte du monastère d'Ainay, et chacun pouvait penser que ces navigateurs de la nuit étaient des assassins, et redoutables puisqu'ils bravaient l'autorité du roi et disposaient sans nul doute de complicités. Qui se risquerait dans ces conditions à renseigner un enquêteur ?

Le Pansu prit à pas lents le chemin de l'auberge, tout en esquissant le bilan de ses investigations sur l'île et au monastère. Les hébergements, les allées et venues, les arrivées et les départs, tout était loin d'être clair en dépit du ton assuré du père Ambroise. Le frère Antoine se sentit las. Les fatigues de la nuit et de la journée lui étaient tombées sur les épaules d'un seul coup. Son esprit même était harassé. Timothée l'attendait devant l'auberge.

— Jamais je n'aurais cru, lui dit le moine, que j'aurais un jour de la satisfaction à retrouver un vilain goupil barbu comme toi.

— Tu as bien failli ne me revoir que comme un petit saint Sébastien, répondit le Grec, qui, bientôt devant un pot du meilleur vin, entreprit de narrer à son ami l'attentat dont il avait été l'objet.

C'est avec soulagement que Doremus vit venir à sa rencontre Jean, le jeune valet de la mission royale qui l'avait accompagné pour cette expédition, lorsqu'il approcha du logement qu'il occupait pour son court séjour à Condrieu. Certes, Jean était loin d'être un novice. Il avait le regard perçant et l'ouïe fine, il était réfléchi et prudent. Doremus n'aurait pas dû nourrir d'inquiétude pour l'avoir laissé seul pendant deux jours. Il eut cependant un vif plaisir à constater que les pressentiments sinistres qu'il avait eus là-haut et que lui avait sans doute inspirés sa rencontre avec Hendrik et sa bande n'étaient que la conséquence de la nouvelle lune.

Jean, pour le retour de Doremus, avait préparé une collation de mets froids arrosés de ce vin fruité et corsé que produisent les vignes plantées sur les coteaux pierreux qui dominent la vallée du Rhône. Doremus, tout en mangeant, était lentement repris par l'humeur sombre qui n'avait cessé de l'affecter depuis qu'il avait quitté le camp des Mustelles. Jean rompit le silence, non pour lui demander comment s'était déroulée sa rencontre avec Hendrik, mais pour lui faire part d'une observation qui revêtait de l'importance à ses yeux.

La veille, il se promenait, après le départ de son maître, sur la rive droite du Rhône, non pas sur ses bords le plus souvent inaccessibles mais plutôt sur les hauteurs dominant la vallée, quand il avait aperçu, de loin, en aval du bourg, à hauteur de Saint-Michel, une sorte de campement établi près d'un bras du fleuve, aux eaux plus calmes. Dans ce camp et autour régnait une intense activité : des va-et-vient d'hommes à cheval et à pied, l'arrivée d'un train de mulets lourdement chargés, l'accostage de deux *pontos* qui amenaient une importante cargaison... Il était trop loin pour mieux distinguer ce qui se passait, mais il lui avait semblé que le camp était gardé de près et même qu'une patrouille parcourait les alentours. Il avait donc préféré faire retraite ; Doremus saurait mieux que lui que penser de cela et que faire.

Ce dernier prit ces informations encore plus au sérieux que ne l'avait prévu Jean, puisqu'il décida qu'ils se rendraient sur-le-champ, avant le crépuscule, en vue de ce mystérieux campement.

Par le même chemin que celui qu'il avait emprunté précédemment, Jean conduisit Doremus jusqu'au petit promontoire d'où il avait pu observer les activités qui lui avaient paru étranges. Ils y arrivèrent alors que le soleil n'était pas encore couché.

Doremus constata que le camp était, en effet, soigneusement gardé. Cependant, malgré le risque de se heurter à une patrouille, il décida de se rapprocher ; il laissa Jean en sentinelle puis progressa non sur un chemin mais de buisson en buisson, constamment sur ses gardes, et put avancer suffisamment pour bien observer ce qui se déroulait sur le campement. Il vit une quinzaine d'hommes en armes équipés de manière disparate mais aucun comme un guerrier franc ; certains semblaient lombards, d'autres syri ; il crut même apercevoir deux hommes coiffés de casques sarrasins. Près de foyers entretenus par des femmes, il aperçut quelques moutons dans un enclos et, plus loin, sur un pré, des mulets et des chevaux en assez grand nombre. Une vaste tente avait été dressée et il ne lui fut pas possible de distinguer ce qui se passait à l'intérieur ; des rumeurs de conversations et de rires parvenaient à ses oreilles. A un moment, il en vit sortir trois hommes, de grande taille et blonds, qui s'isolèrent un instant. A une aire d'accostage était amarré un *ponto*, vide.

Mais ce qui intéressa particulièrement l'ancien rebelle, ce fut d'apercevoir, un peu à l'écart, des cibles de paille pour l'entraînement au tir à l'arc et des mannequins mobiles comme ceux sur lesquels s'exercent, à la lance ou à l'épée, cavaliers et fantassins. Relais, camp d'entraînement, l'un et l'autre sans doute... En tout cas, l'information qu'il venait de recueillir, ajoutée à celles qu'il avait récoltées là-haut au camp de Hendrik, valait plus de cinq sous d'or.

Il rejoignit son aide à la hâte, redoublant de précautions. Jean lui dit que deux hommes en armes étaient passés tout près de lui en bavardant et en riant. Il n'avait pas compris leur langue. Ce n'était ni du francique, ni du dialecte bourguignon, ni une espèce de latin. Doremus le félicita pour ce renseignement.

Dans le crépuscule, silencieux comme des ombres, ils regagnèrent Condrieu qu'ils atteignirent à la nuit. Le lendemain, un peu avant l'aube, Doremus et Jean prirent, à cheval, la direction de Lyon. L'ancien rebelle, qui craignait toujours que Hendrik ne se ravise et ne lui tende une embuscade, avait emprunté, sur la rive gauche du Rhône, des chemins détournés. Il ne fut vraiment tranquille que lorsqu'il aperçut, au détour d'une courbe, les premiers toits de la ville. Il avait fait ample moisson, mais à quel prix !

CHAPITRE III

Quand Doremus et Jean arrivèrent à l'auberge, Erwin était déjà debout ainsi que Timothéc, le frère Antoine et Dodon, un diacre qui, comme Jean, assistait le missionnaire du roi et ses adjoints. Ils prenaient la collation du matin faite d'une soupe aux fèves et d'un salmis de perdrix lorsque l'ancien rebelle et son aide entrèrent dans la salle où ils étaient attablés. Leurs amis se levèrent pour les accueillir puis leur firent, avec de grands sourires, une place à leurs côtés. Le Saxon alla jusqu'à articuler, en se frottant les mains : « Bien, bien, voilà qui est bien ! » ce qui était chez lui l'expression d'une intense jubilation.

Le repas dura un peu plus que prévu, fut accompagné d'une prière encore plus fervente que d'habitude, et fut aussi un peu plus arrosé. Puis les membres de la mission allèrent s'enfermer dans la grande chambre qu'occupait Erwin lui-même pour examiner ce que les uns et les autres avaient recueilli au cours d'une pleine journée d'enquête. C'était loin d'être négligeable, mais il ne s'agissait encore que d'indications, de débuts de pistes, avec, au centre, cette interrogation : pourquoi s'en était-on pris, avec obstination, à ceux qui représentaient sur place l'autorité du souverain, à Ebles, au frère Yves, puis, avec une insolence rare, aux adjoints mêmes du missus dominicus ? Les instigateurs de ce qui apparaissait de plus en plus comme une action criminelle de grande envergure étaient-ils assurés de leurs forces au point de défier ouvertement le souverain ? Ou bien n'avaient-ils pas pu faire autrement que de commettre des attentats spectaculaires, dévoilant ainsi tout à la fois leur entreprise criminelle et son ampleur ? Cela pouvait-il alors signifier que l'activité des missionnaires venus d'Aix représentait pour l'exécution de leurs plans une menace mortelle ?

— Que savions-nous en arrivant à Lyon ? plaça frère Antoine. Rien d'autre que ce qui était nécessaire pour préparer un éventuel passage en cette ville de notre roi se rendant à Rome. De la routine...

— Et aussi un regard sur la marche du diocèse en l'absence de l'évêque Leidrade, nota Timothée.

— De toute façon, reprit le Pansu, une mission toute paisible. Si des malfaisants ont été alertés au point de commettre...

— Nous savons, murmura le Saxon.

— ... ils n'ont pu l'être que par l'activité d'Ebles et du frère Yves, prêtant à ceux-ci de graves soupçons... Pourquoi Ebles s'est-il rendu à l'île d'Ainay ? Pour recueillir des informations complémentaires ?

— ... du moins en croyant qu'il en recueillerait, rectifia le Goupil.

— Cela ne change rien aux soupçons que redoutaient ces canailles. Dès lors, assassiner Ebles ne suffisait évidemment pas. Le frère Yves était aussi une victime désignée.

— Mais non la dernière, enchaîna Doremus. L'agresseur frappe et s'enfuit, croyant avoir tué Yves. Mais ceux qui sont derrière ces crimes apprennent qu'il vit encore...

— Très intéressant cela ! souligna Erwin. Je n'y avais pas pensé.

Les adjoints du missus se regardèrent : qu'avait-il encore derrière la tête ?

— Donc, reprit Doremus sur un signe encourageant de l'abbé, ils se demandent s'il a eu la force de nous fournir des indications, même vagues, qui nous mèneraient sur leurs traces. D'où les agressions contre toi, mon frère, et contre toi, Timothée...

Puis, se tournant avec gravité vers Erwin :

— Et peut-être, tout à l'heure, contre toi, mon père...

— Cela n'est pas exclu, admit le Saxon. Vous avez dit : des malfaisants... qui bravent notre autorité... Un défi ! Oui, mais ils auraient sans doute préféré demeurer dans l'ombre, n'est-ce pas ? Pourquoi en sont-ils sortis ? D'accord avec vous : ce qu'Ebles avait flairé, ce qui pouvait et peut toujours être dévoilé doit être pour eux une menace mortelle... Bien ! Maintenant je vais me rendre à l'évêché.

Avant de partir, le missus dominicus s'entretint en aparté successivement avec chacun de ses adjoints. Quand il fut en tête-à-tête avec Doremus celui-ci lui précisa dans quelles circonstances et de quelle manière il avait recueilli les informations dont il venait de faire état. Il jeta plutôt qu'il ne posa sur la table les cinq pièces d'or que Hendrik lui avait lancées.

— Elles me brûlaient les doigts, murmura-t-il. Tu m'avais dit, mon père, qu'on pouvait donner plus que sa vie pour le service du roi. Maintenant je sais ce que tu entendais par là.

Le Saxon prit les pièces une par une.

— Maintenant, dit-il, c'est moi qui les ai ramassées. Elles serviront, je te l'assure, à assurer ta vengeance. Quant à ton honneur, sache qu'il ne saurait être entaché par une canaille !

Quittant l'ancien rebelle un peu rasséréné, Erwin se rendit dans la grande salle de la taverne pour se faire présenter les quatre gardes qui venaient d'être mis à la disposition de la mission. Il désigna deux d'entre eux pour lui faire escorte jusqu'à l'évêché.

Deux chanoines l'attendaient à la porte de l'édifice. Avec des marques de grand respect, ils le conduisirent à la salle où se trouvaient déjà ses interlocuteurs. Eldoïnus lui désigna la place d'honneur à une table sur laquelle étaient disposés des boissons fraîches, du vin et même un cruchon d'hydromel (on s'était donc renseigné sur les préférences du Saxon), ainsi que des gobelets. L'envoyé du roi, imité par ses hôtes, se recueillit pour une prière qui lui permit d'observer un instant ceux qui lui faisaient face. Eldoïnus semblait toujours accablé par le poids des tâches que l'intérim de Leidrade faisait retomber sur ses épaules. Le comte Rothard, vêtu d'une riche tunique, bombait le torse avec un air avantageux et, de temps à autre, se lissait les cheveux puis laissait retomber la main sur la poignée de son glaive. L'évêque Marcellin était un homme épais avec un visage qui exprimait la satisfaction de soi. Il laissait voir qu'il considérait ces barbares, un Saxon, un Bavarois, un Franc, comme très au-dessous du Romain qu'il était, descendant d'une *gens*[1] illustre et, qui plus était, représentant de la curie pontificale.

La prière terminée, Erwin évoqua les événements graves qui venaient de se produire : le meurtre d'Ebles, l'agression dont avait été victime le frère Yves dans les bâtiments épiscopaux. Il mentionna aussi l'attentat perpétré contre Timothée, pensant qu'il n'avait pas tardé à être connu de tous, mais passa sous silence celui qui avait visé le frère Antoine. Ces méfaits, souligna-t-il, constituaient un défi lancé à tous ceux qui avaient la charge dans le diocèse de la tranquillité publique, y compris, puisqu'il séjournait à Lyon, le représentant du Latran, dès lors que l'autorité d'un souverain ayant reçu le sacre se trouvait bafouée. Cependant, ce qui devait être entrepris pour restaurer pleinement cette autorité était du seul ressort du *missus dominicus*, précisa Erwin. Le comte, à ces mots, esquissa une protestation. Un seul regard du Saxon suffit à l'arrêter. L'abbé se tourna vers Eldoïnus et lui demanda si l'enquête entreprise sur place avait jeté quelques lueurs sur les circonstances et les raisons des attentats. Le clerc

1. Groupe de familles appartenant à la classe supérieure dans l'Empire romain.

répondit que les résultats en avaient été décevants bien qu'on eût fait diligence. Aucun déplacement suspect n'avait été observé à l'intérieur des édifices épiscopaux ; il avait interrogé lui-même diacres, chanoines, notaires et même serviteurs. Quant à la manière dont celui qui avait agressé le frère Yves avait pu s'échapper, l'état des bâtiments, hélas ! montrait qu'il avait eu toutes facilités pour le faire. En ce qui concernait le meurtre du maréchal Ebles, Eldoïnus déclara qu'il ne pouvait être attribué qu'à des bandits, car il était tristement vrai que leur audace était sans limites.

Le comte Rothard, avec un visage exprimant son aigreur, avança que cette insécurité n'était pas pour l'étonner. Si, comme il se devait, dit-il, on lui avait confié clairement et pleinement la responsabilité de l'ordre, rien de fâcheux ne se serait produit. Leidrade était certes l'ami des conseillers les plus proches du roi. Pour autant, il n'en résultait pas qu'on dût lui confier des responsabilités non ecclésiastiques aussi étendues que celles qui lui avaient été dévolues, d'autant qu'il était plus souvent auprès du roi que dans son diocèse. On en voyait le résultat...

Le Saxon, l'air distrait, le laissait s'avancer sur ce terrain glissant. Brusquement, il fixa Rothard pour lui demander :

— Quand, pour la dernière fois, as-tu inspecté la milice de la ville ?

Coupé dans ses récriminations, le comte marmonna une réponse vague.

— Il est assurément moins plaisant, dit le Saxon avec un sourire peu engageant, d'inspecter

88

une garnison que d'inspecter de joyeux banquets, et moins plaisant de passer en revue des serviteurs de l'ordre et du roi que de passer en revue des servantes de Vénus... Il suffit, Rothard!... Tu t'es rendu deux fois, pas une de plus depuis que tu es ici, auprès des miliciens, et pour des visites vite expédiées. Donc, deux fois en sept mois. Conséquence... J'ai dit : il suffit! Conséquence donc : une garde en déliquescence, incapable, nulle. Bien! L'échec de Sigbert, soi-disant commandant de cette prétendue milice, est d'abord le tien, son incurie le résultat de la tienne, sa faillite la marque de la tienne.

Le comte Rothard était livide : des accusations aussi graves, et devant le représentant du Saint-Siège.

— Je n'ai pas l'intention, poursuivit Erwin d'un ton froid, de porter immédiatement cette affaire devant le roi. Cela peut attendre. Je ne veux pas non plus, par un procès qui se déroulerait sous mon autorité, comme mes fonctions m'en donnent le droit, ajouter au trouble qu'ont suscité dans cette ville des événements qui alimentent déjà mille rumeurs et mille fables.

L'abbé tapota la table un instant avant d'annoncer :

— J'ai pris moi-même le commandement de la milice, ce qui signifie évidemment, Rothard, que tu en es écarté... Voudrais-tu par hasard demander le plaid du roi à ce sujet ? Je ne te le conseillerai pas... Bien. J'ai chargé un certain Arnold qui m'a semblé moins débile que les autres — et même plutôt éveillé — de me préparer et présenter les premières mesures d'une réorganisation nécessaire et que je dirigerai personnellement. Sigbert et Florian ont été conduits au monastère de l'île Barbe, enfermés et gardés, dans l'attente de leur procès. Je les interrogerai sans tarder. Leur conversation ne manquera certainement pas d'intérêt. A ce propos...

Le Saxon, méditatif, laissa cette phrase en suspens. Suivit un long silence. Le comte s'était levé et se mit à marcher de long en large avec un air furieux, sans qu'Erwin lui prêtât le moins du monde attention. Eldoïnus paraissait à la fois stupéfait et apeuré. Quant à l'évêque de la curie, il avait placé sur son visage le masque d'un dignitaire qui serait bien au-dessus de telles querelles. Il prit donc la parole pour souligner sa propre hauteur de vue et évoqua le prochain voyage à Rome de Charles, roi des Francs et des Lombards, patrice des Romains : c'est avec impatience qu'il était attendu dans la Ville. La papauté savait ce qu'elle devait à l'épée de ce souverain et avait hâte de lui en donner témoignage. Elle lui était reconnaissante d'avoir ouvert à de nouveaux peuples les voies de la Rédemption, d'avoir affermi le pape dans ses États, d'avoir combattu partout l'hérésie, notamment l'adoptianisme qui, à l'imitation de certaines croyances islamiques, corrompait le dogme chrétien. Proclamer que le Christ n'était pas né fils de Dieu, n'était-ce pas se rapprocher des affirmations mensongères de l'Alcoran ?

A mesure qu'il parlait l'évêque romain se gonflait d'importance : il s'adressait à Erwin comme de maître à disciple, comme si ce Saxon eût éprouvé de la difficulté à le suivre dans ses subtilités théologiques et dans ses allusions diploma-tiques. Il utilisa enfin quelques formules qui res-semblaient fort à des recommandations pater-nelles : il était à la disposition de l'*abbé* Erwin pour lui prodiguer des conseils avisés afin qu'il puisse mieux affronter une situation d'autant plus fâcheuse qu'elle avait quelques rapports — oh! lointains heureusement — avec le prochain voyage (il dit « pèlerinage ») du roi Charles, puisqu'il n'était pas exclu qu'il passât par Lyon où l'on pré-parait, pour le recevoir, un édifice digne de sa gloire.

Après une conclusion laborieuse et fleurie, le représentant de la curie romaine se tut et se rengor-gea, guettant l'admiration dans les regards de ses interlocuteurs.

Erwin avait écouté son discours, longuement mijoté, sans que son visage manifestât le moindre sentiment, ni d'approbation ni de réprobation. En se levant pour prendre congé, il demanda à Eldoï-nus de faire poursuivre des investigations, de se tenir à l'écoute de tout ce qui pourrait expliquer ce qui venait de se produire et de lui communiquer tout renseignement qui lui semblerait de quelque valeur.

— J'ai bien entendu, ajouta-t-il, tes observa-tions ayant trait à l'insécurité qui résulte des tra-vaux de réfection et de construction entrepris dans les bâtiments épiscopaux. Dans de telles condi-tions, je juge préférable de te décharger de toute responsabilité concernant le frère Yves. Ce sont des gardes appartenant à cette milice que j'ai reprise en main qui assureront ici même, en permanence, sa protection.

— Mais je dispose moi-même... commença Eldoïnus.

— Il en sera comme je viens de dire, coupa Erwin qui se tourna vers l'évêque Marcellin.

« J'apprécie hautement, lui déclara-t-il, la collaboration que, représentant du Saint-Siège, tu m'as offerte. Je l'apprécie particulièrement puisqu'elle est proposée par un homme pieux, avisé et d'excellent conseil. Je ne manquerai pas de faire appel à tes lumières.

Après ces paroles accompagnées d'un sourire délicieux, le missionnaire du roi Charles esquissa un salut courtois, passa devant Rothard sans même paraître le voir et quitta la salle d'un pas tranquille.

Il retrouva ses deux gardes à la porte de l'évêché, dépêcha l'un d'eux au siège de la milice et, accompagné de l'autre, regagna sans hâte l'auberge dont il avait fait son quartier général. Il prit ensuite quelques notes sur des tablettes de cire en vue d'un rapport qu'il dicterait sans tarder à Timothée ou au frère Antoine à l'intention du roi lui-même. Avec Arnold qu'il avait mandé, il entreprit de préciser les missions qui, pour l'heure, incombaient à la milice, outre les surveillances habituelles qui devaient être à nouveau assumées avec rigueur.

— J'ai annoncé à Eldoïnus que la garde du frère Yves, à l'évêché même, serait assurée par nos soins jusqu'au rétablissement espéré de ce clerc. Tu dois donc y veiller sans défaillance. Quatre hommes sont affectés, ici, à la mission proprement dite. Je veux les meilleurs, les plus vifs en esprit, les plus expérimentés aux armes. Deux gardes veilleront en permanence à l'île Barbe sur Sigbert et Florian et dans les deux sens : qu'ils ne s'échappent pas, qu'il ne leur arrive rien. Tu en réponds !

Et comme Arnold se grattait la tête d'un air perplexe :

— Je t'avais prévenu, lui dit Erwin : la tâche est et sera lourde. Car je veux en outre une milice recomposée, réentraînée, et renforcée dans les plus brefs délais. Je te donne permission de prélever autant d'hommes libres, apportant leur subsistance, leurs montures et leurs armes, qu'il le faudra pour porter cette troupe à soixante-dix soldats, j'entends de vrais combattants... Je te donne permission de les mobiliser comme s'il s'agissait de l'ost[1] royal. Cela sera confirmé par mon sceau.

A cette formule lancée par le missus avec solennité, Arnold s'inclina profondément.

— Mon fils, lui dit doucement l'abbé, beaucoup de choses vont dépendre du temps que nous mettrons à forger une garde de fer. Ne le perds jamais de vue ! Fais vite ! Très vite !

Comme Arnold allait le quitter, Erwin ajouta :

— Désigne le plus sûr de tes gardes pour tenir la liaison avec moi-même et mes adjoints. De mon côté, j'y emploierai Jean, un jeune aide, avisé, prompt et prudent. Va, maintenant, mon fils !

A peine le nouveau commandant adjoint de la milice était-il parti que le diacre Dodon, qui devait

---

1. Service militaire.

guetter cet instant, se présenta à son maître pour confirmer que Timothée, accompagné de deux gardes, était en route pour Mâcon. Deux relais leur permettraient d'y arriver dans la soirée. Ils pourraient donc être de retour à Lyon dès le lendemain. Quant au frère Antoine, il avait pris sa robuste monture pour explorer les chemins et les sentes situés entre Fourvière et la ville basse.

Ce dernier, en effet, immédiatement après le départ d'Erwin pour l'évêché, avait quitté l'*Auberge des Quatre Cavaliers* en direction du sud. Arrivé à ce qui restait de l'église Sainte-Eulalie, il avait commencé au pas lent du cheval qu'il montait à gravir le chemin menant à Saint-Irénée. Il fit une halte au cantonnement de la milice où son arrivée fut interprétée comme le signe d'une vigilance extrême.

Manifestement l'intervention inopinée d'Erwin avait déclenché un bouleversement brutal. Des familles, sans doute celles des gardes qui avaient été renvoyés, étaient entassées dans des fourgons sur le départ qui emportaient également des ustensiles, des vêtements, du linge... Des femmes pleuraient, des enfants piaillaient et jouaient, les conducteurs s'énervaient. Un peu plus loin, une quinzaine de miliciens, tout ce qui restait vraisemblablement de l'effectif initial, s'exerçaient au tir à l'arc. Le Pansu ne put résister à l'envie de montrer ses talents. Toujours juché sur son impressionnante monture qui piaffait, ayant emprunté un arc, il expédia coup sur coup trois flèches au cœur même de la cible, à l'ébahissement de tous ceux qui

94

avaient assisté à cette prouesse. Il accepta le coup de l'étrier puis quitta le cantonnement en direction de Saint-Just.

De là, à flanc de colline, il prit le chemin menant à Saint-Genies ; il était descendu de cheval et avançait lentement, observant minutieusement les sentes qui couraient parallèlement à son chemin en contrebas. Il aperçut bientôt ce qu'il cherchait : un chariot à demi renversé et qui était abandonné. Exactement de l'endroit où il se trouvait partait un sentier abrupt qui débouchait, dans la ville basse, sur une cour : celle du forgeron Benoît. Il repéra non loin de là une masure. Elle était habitée par une vieille femme qui avait, en effet, observé, la veille, la manœuvre de deux hommes faisant avancer difficilement sur une sente un cheval qui traînait un chariot bringuebalant, avec comme unique chargement un lourd rocher.

— J'ai cru, dit-elle, qu'ils allaient transporter ça jusqu'à Saint-Genies. Mais voilà qu'ils s'arrêtent en plein milieu, qu'ils détellent leur cheval. Et les voilà qui renversent leur chariot. Et ce rocher qui roule comme ça jusqu'en bas, chez Benoît. Pour sûr, que je me suis dit, que ce gros caillou va tout démolir en bas.

— Ouais, dit le Pansu, il a failli me démolir, moi.

— Ah ! c'est toi qui étais dans cette cour. Il me semblait bien aussi... Eh bien, tu as dû avoir chaud.

— Plutôt. Mais ça n'a pas dû être commode pour ces types de monter leur chariot jusqu'à cette sente ?

— Monter ? Que non pas ! rectifia-t-elle. Ils venaient de là-haut.

Elle montra les hauteurs de Fourvière.

— C'est plein de gros cailloux là-haut.

Le frère Antoine jeta lui aussi un regard dans cette direction.

— Ils sont passés assez près de chez toi. Les as-tu entendus se parler ? demanda-t-il.

— Ils étaient muets comme des poissons. Et je ne pourrais même pas te dire à quoi ils ressemblaient, vu que, malgré le temps chaud, ils étaient avec des coules, capuchon bien tiré sur le nez.

— Et après ?

— Comme tu le vois, ils ont laissé leur chose là, toute cassée, et puis, avec leur cheval, ils sont repartis à pied vers le haut.

— Ils t'ont paru grands, petits ?

— Je ne saurais pas te dire... Mais je vois que tu as chaud, veux-tu à boire ? Il y a une très bonne source près d'ici. J'y prends mon eau.

Le frère Antoine accepta, but cette eau sans faire la grimace et quitta son informatrice en lui laissant une petite pièce dans la main.

— S'il te revient quelque chose, dit-il en partant, j'habite...

— Je sais, coupa-t-elle : à l'*Auberge des Quatre Cavaliers*. On ne peut rien me cacher, à moi !

— Je vois, dit le Pansu en s'éloignant. Décidément...

Remonté sur son cheval, il prit la direction des hauts de Fourvière, jusqu'où il n'était jamais allé. Il arriva sur des terres étranges. De place en place émergeaient encore les ruines de mystérieux édifices antiques, de vastes structures en gradins qui semblaient se continuer sous la terre jusqu'aux enfers, des colonnes à demi ensevelies et brisées, des murs où les constructeurs des édifices consacrés à Dieu et au Christ venaient prélever des blocs de pierre taillée. Là avait dû se situer autrefois une cité prospère dont on parlait encore dans la vie des grands saints de Lyon et dans toutes sortes de légendes, et dont on apercevait encore le quadrillage des rues et des routes bien qu'elles fussent à demi effondrées et envahies par des arbres, des arbustes et des herbes folles. Pourquoi la vie avait-elle abandonné ces hauteurs pour s'établir près de la rivière et entre Saône et Rhône ?

Le frère Antoine, cependant, s'aperçut que tout n'était pas mort sur cette colline. Çà et là s'étaient installés ou étaient demeurés des colons obstinés. Leurs maisons pouvaient souvent prendre appui à des parois de pierre que le temps ni les hommes n'avaient pu abattre. La terre accumulée dans les creux ou sur les replats leur permettait de cultiver quelques légumes tandis qu'à proximité ils avaient installé de modestes basses-cours et que quelques chèvres paissaient les herbes des ruines.

Tout cela respirait sans doute la pauvreté, mais aussi et surtout semblait receler des mystères. Le moine fut assailli par une impression inquiétante comme si les humbles activités qu'il voyait sur la surface de la terre en cachaient d'autres, redoutables, sous la terre dans des citernes de jadis à présent à sec, dans des caves, dans des cryptes. Tout à coup il vit, non loin de son cheval, trois vipères qui se chauffaient sur une pierre au soleil, puis, rencontre rarissime, une salamandre qui le regardait sans bouger. De quel brasier infernal, intacte, sortait-elle ? Le frère Antoine récita à voix haute une prière, de celles qui sont les plus efficaces contre les créatures d'en bas. La bête alors disparut sous un roc.

Le moine, rassuré par l'efficacité de son oraison, consulta sa gourde qui lui inspira que ce chaos rocheux pouvait aussi servir de refuge à ceux qui ne cessaient de harceler la mission depuis son arrivée à Lyon.

Comme il s'apprêtait à redescendre dans la vallée, il lui sembla qu'une fumée sortait de terre à quelque six ou sept cents pas de l'endroit où il se trouvait. Il s'avança un peu et vit que ce qu'il avait pris pour des ruines était en fait le haut d'une vaste demeure à l'ancienne encore habitable et située dans un creux. Avec précaution, il se rapprocha encore pour l'apercevoir tout entière, jusqu'au sol. Quatre chevaux étaient à l'attache. Dans la cour, trois femmes, entourées de cinq enfants qui jouaient, faisaient cuire des aliments dans des chaudrons suspendus au-dessus de brasiers. Elles semblaient vêtues comme des Orientales. Ainsi que partout ailleurs sur le plateau, quelques chèvres paissaient et de la volaille courait librement. Mais de potager point. Deux hommes, dont l'un paraissait armé, sortirent du bâtiment principal pour bavarder avec les femmes et ils réprimandèrent un garçonnet qui jetait des pierres sur les coqs et les poules. L'un de ces hommes, tout à coup, regarda en direction du frère Antoine et se mit à discuter avec son compagnon assez vivement, pour autant que le Pansu pouvait en juger. Ils appelèrent un troisième homme qui lui aussi commença à observer l'intrus.

Le moine pensa que la salamandre, après tout, était peut-être venue l'avertir du danger et n'attendit pas qu'ils aient arrêté une décision. Demandant à sa monture toute la vitesse dont elle était capable, il prit le chemin le plus court pour regagner des lieux moins pernicieux. Certes, il savait combattre. Mais, à un contre trois, c'était très hasardeux, d'autant que ses adversaires éventuels n'avaient pas l'air de novices dans l'art des armes. Il importait avant tout d'apporter à l'envoyé du souverain les informations qu'il venait de recueillir. Si une action devait être entreprise, elle serait décidée par Erwin lui-même et conduite selon ses vues.

Il arriva à l'*Auberge des Quatre Cavaliers* un peu avant le gaon de la communauté juive qui avait fait parvenir au missus dominicus un message sollicitant une entrevue pour raison urgente, ce qu'Erwin avait accepté.

Ce dernier avait fait aménager une salle pour le recevoir dignement. Quand le frère Antoine se présenta, il siégeait déjà derrière une table recouverte d'un riche tapis et sur lequel il avait posé son épée ; Doremus, qui allait servir de greffier pour cette rencontre, avait pris place derrière une autre table située à droite de la précédente et sur laquelle, lui, il avait mis son écritoire. Quand le moine fut entré, le Saxon lui indiqua qu'il devait s'asseoir près de l'ancien rebelle. En face d'eux étaient placés des sièges à côté d'une troisième table sur laquelle étaient disposées des boissons rafraîchissantes (mais ni vin, ni cervoise) et aussi des beignets. Deux gardes en armes encadraient la porte d'entrée.

Bientôt le diacre Dodon vint annoncer à son maître que les trois délégués de la communauté juive demandaient à être reçus. Ils le furent immédiatement. Le gaon, Ammorich, était un homme sévère, dans son maintien, dans son vêtement et par son visage. Il était accompagné d'un vieillard qui semblait sorti tout droit de « La loi et les Prophètes[1] », avec ses longs cheveux et sa barbe blanche, son regard brillant derrière des sourcils broussailleux et, bien qu'il fût courbé par l'âge, un air de ferme dignité. Il était soutenu par un homme très jeune, à la physionomie rieuse et qui s'adressait au vieillard avec une respectueuse familiarité, pour autant qu'on pût en juger car il s'exprimait en une langue que ni Erwin, ni Doremus, ni le frère Antoine ne comprenaient.

Le gaon Ammorich s'apprêtait à remercier l'envoyé du roi Charles avec des propos liminaires convenus, quand son regard tomba sur Doremus qu'il examina longuement. Il parla un court instant avec le plus jeune de ses assistants et dit en francique, d'une voix hésitante :

— Éminent représentant d'un souverain glorieux, juste et aimé de tous, le guide de la très obéissante communauté juive que je suis tient à te faire part de notre reconnaissance pour avoir accédé à la requête que j'ai eu l'audace de t'adresser, connaissant ta bienveillance. Je m'apprêtais,

1. L'Ancien Testament.

en présence de l'ancien gaon que voici, le très sage Mardochée, et de Daniel, l'un de nos jeunes hommes les plus pieux, à m'ouvrir à toi de problèmes graves qui nous concernent tous ici, Juifs et non-Juifs. Cependant, je vais te présenter mes plus humbles excuses car je suis dans un embarras extrême, devant une impossibilité : je ne puis m'exprimer librement, en confiance, devant cet homme-là.

Il désigna Doremus que sa calvitie rendait aisément identifiable.

Le Saxon, très calme, attendait. Ammorich s'entretint un moment avec l'ancien gaon Mardochée.

— Qu'a-t-il dit ? demanda Erwin.

— Que la confidence demeure le secret de celui qui veut la faire, mais seulement tant qu'il ne l'a pas annoncée, répondit Ammorich. Il a dit aussi que c'est le regard de l'homme qui révèle son cœur.

— Et dans quels yeux a-t-il lu ainsi une révélation ?

— Dans ceux de cet homme assis, là, devant son écritoire.

— Je vais te dire, enchaîna le Saxon, ce que ce regard exprimait sans doute. C'était un reproche ardent, le sentiment d'être la victime d'un jugement mal informé, hâtif, téméraire, et choquant venant de toi, gaon Ammorich, qu'on dit homme de réflexion et de justice !

— Si j'ai fait erreur...

— Mais tu as fait erreur ! coupa Erwin. Le très sage Mardochée a lu, lui, avec les yeux de l'esprit ce que tu n'avais pas su apercevoir avec seulement ceux du soupçon.

Le missus dominicus se fit apporter une cassette. Il en tira une petite bourse de soie rouge dont il sortit cinq dinars en or qu'il aligna posément sur la lame de son épée.

— On t'a naturellement informé, dit-il, de ce qui s'est passé au camp des Mustelles, sinon tu n'aurais pas réagi ainsi. Qui? Judith elle-même?

— Ne me parle pas de cette femme qui a trahi son honneur et les siens, lança Ammorich.

— Un instant! Ta formule est bien hardie... Il a fallu que les renseignements qui sont parvenus jusqu'à toi viennent d'elle, étant donné la façon dont les choses se sont passées dans la tente de Hendrick. Il ne m'appartient pas de juger sa conduite, ni l'usage qu'elle fait de sa beauté. Mais il me faut savoir comment tu as été averti de tout cela.

— Par Daniel qui appartient à notre escale de Condrieu et que voici.

— Et toi, Daniel?

— Par Dinah, la sœur de Judith, qui était descendue dans la vallée avec des muletiers pour un convoi d'approvisionnement.

— Et comment, reprit Erwin, Dinah a-t-elle été amenée à vous alerter, sinon à la demande et avec les indications de Judith? Je ne sais ce que celle-ci, selon toi, a trahi, mais certainement pas, en l'occurrence, son peuple. Elle a même accepté de très grands risques, tu peux m'en croire, pour faire ce qu'elle estimait devoir faire par loyauté... envers toi... envers votre communauté, *sa* communauté.

Cela, toutes proportions gardées, ne te rappelle-t-il rien[1] ?

Le Saxon marque une pause. Puis, désignant Doremus, il dit :

— Celui que voici a agi sur mon ordre. Lui aussi il a accepté de grands risques : sa vie, pire, comme on vient de le voir, son honneur. Il m'a rapporté des informations infiniment précieuses. Il a plus que mon estime : ma confiance absolue. J'apprécie très hautement son dévouement. Cela te suffit-il, oh ! homme à la langue trop prompte ?

Mardochée s'était redressé autant qu'il l'avait pu pour glisser quelques mots à Ammorich.

— Mon maître m'a dit, indiqua celui-ci, qu'un juste est un juste quand il l'est avant tout dans son cœur, quelle que soit sa foi, et que l'Éternel, souvent, par les détours les plus imprévus, rappelle aux hommes que lui seul détient le pouvoir de juger en toute équité.

Erwin sourit à ces mots : le « détour » était élégant pour présenter des excuses. Il désigna les pièces posées sur son glaive et déclara d'une voix forte :

— Vous devez bien savoir d'où ces cinq dinars proviennent. Ils étaient destinés à signifier la honte, je les destine à signifier l'honneur... l'honneur et la vengeance dans la justice. Je les avais placés, après que celui-ci me les eut remis (car, m'a-t-il dit, ils lui brûlaient les mains), dans une bourse rouge, rouge comme le sang des hommes

---

1. Allusion à Esther qui obtint d'Assuérus, roi de Perse qui l'avait épousée, la grâce des Juifs menacés par le vizir Aman.

coupables de rapines, de viols, de tortures et de meurtres. Je les ai mis sur cette lame nue parce que, ce sang corrompu, c'est cette épée de la justice qui le fera couler.

Le diacre Dodon invita alors les représentants de la communauté juive à prendre place sur les sièges qui leur étaient destinés. Un serviteur vint verser des boissons fraîches dans des gobelets à portée de main. Quand il eut quitté la salle en même temps que le diacre, le missionnaire de Charles demanda :

— Pouvons-nous maintenant en venir au fait ?

Le gaon approuva gravement.

— Qui mieux que toi, seigneur, commença Ammorich, peut mesurer la gravité des forfaits commis récemment en cette ville ? Parce qu'ils sont insupportables quant à l'autorité du roi et à la tranquillité publique, parce qu'ils sont préjudiciables à tous les hommes qui œuvrent honnêtement pour le bien du royaume, ils sont, pour nous, un objet de scandale, une abomination. Or il semblerait que les criminels aient entrepris d'en faire retomber la responsabilité sur nous autres. Comment interpréter autrement le fait qu'un de tes assistants ait été attaqué, et de manière spectaculaire, dans notre quartier ? Toute notre communauté, tu le sais, n'aspire qu'à la paix et à l'ordre que garantit l'épée de Charles le Bien-Aimé. Aussi, dès que j'eus été averti de l'attentat par le marchand de tissus Jacob devant la maison duquel ton adjoint a failli être transpercé par une flèche, ai-je eu l'audace de t'adresser une requête que tu as eu la bonté d'accepter.

A cet instant, d'un geste de la main bienveillant, Erwin fit signe au gaon d'interrompre son exposé. Il fit venir un garde qui alla quérir le diacre Dodon. Celui-ci revint avec un coffret dont le Saxon sortit un parchemin qu'il tendit à Ammorich.

— Voici une confirmation de tes craintes, lui dit-il.

Le gaon blêmit en prenant connaissance des deux lignes qu'il avait sous les yeux.

— Mais c'est une infamie ! balbutia-t-il en tendant le texte accusateur à Mardochée.

Celui-ci le lut sans sourciller, étudia le parchemin en l'approchant très près de ses yeux. Puis il le rendit à l'envoyé du roi calmement et il lui dit en un latin prononcé avec un fort accent :

— Je crois savoir, seigneur, ce que tu penses de cela.

Comme Ammorich, son sang-froid recouvré, s'apprêtait à élever sans doute une nouvelle protestation, le vieux sage l'arrêta d'une pression de la main sur le bras.

— En effet, Mardochée, dit Erwin, je pense que trop c'est trop, et que ce « trop » est bien mal avisé. Comment concevoir que des Juifs aient eu l'idée stupide d'assassiner le maréchal Ebles, et à la porte d'un monastère, pour lui arracher un document accablant, en lui laissant dans une main, d'ailleurs à peine crispée, le lambeau le plus clairement accusateur ? Comment imaginer qu'en tirant sur la feuille d'un parchemin tenue par le malheureux Ebles, l'un des meurtriers ait même pu déchirer une telle peau ? Selon le frère Antoine, ici présent, celle-ci d'ailleurs a dû être coupée avec un couteau. Ne découle-t-il pas de cela que ce lambeau a été placé dans la main du mort par ses assassins ?

Le Saxon arrêta de nouveau d'un geste le gaon qui désirait intervenir.

— Je n'oublie pas le plus important, Ammorich. Voici : je ne puis imaginer que votre communauté ait pu seulement avoir le projet de conspirer contre le roi. Car Charles le Magnanime vous a comblés de ses bienfaits et la conspiration n'est plus votre naturel.

Ému, le gaon approuva d'une inclinaison de tout son buste.

— Si, comme il appert, poursuivit Erwin, votre communauté ne peut être coupable, si d'autres se sont ingéniés à vous mettre en cause, reste à savoir qui sont ces autres et pourquoi ils ont agi de la sorte.

— Sache d'abord, seigneur, répondit le gaon, que nous sommes à la disposition de notre souverain, donc de son représentant tout-puissant ici : nos moyens, nos relations, nos vies mêmes, si besoin était...

Erwin approuva avec gravité.

— Aide précieuse !

— Quant aux ennemis, ceux du roi donc les nôtres, je dois souligner ceci : depuis plusieurs mois la rectitude, l'équité, la bonté de Charles le Bien-Aimé, qui se sont traduites pour tous, et pour nous, par la prospérité et la justice, ont gêné les pêcheurs en eau trouble et, quant à nous, nous ont valu certaines inimitiés.

— Je sais, souligna le Saxon : envie et jalousie,

donc rancœurs et malveillance... je sais déjà cela par Everard, votre *magister*.

— Un juste, murmura Mardochée.

— Mais cette malveillance, reprit Ammorich, a surtout été suscitée, entretenue, répandue par ceux qui auraient tout intérêt à nous voir disparaître parce qu'ils veulent prendre notre place, c'est-à-dire les Syri.

— Cela demande explication et surtout preuves, souligna l'abbé saxon.

— Les Levantins possèdent, en effet, quelques comptoirs en Orient, que ce soit dans l'empire chrétien ou en terre islamique, celle que gouverne le calife abbasside Haroun al-Rachid, mais non en Andalous omeyade[1], là où nous en possédons de très importants. Ces Syri, qui ont déjà instauré un commerce, mais de peu d'importance, entre leurs établissements d'Orient et ceux qu'ils possèdent ici, pourraient espérer l'accroître s'ils nous éliminaient. Dois-je souligner cependant que leurs comptoirs sont loin d'être aussi nombreux et efficaces que les nôtres ? Dois-je dire aussi que nul sceau levantin ne sera honoré fidèlement par un changeur d'un bout du monde à l'autre comme l'est le sceau d'un Juif ? Dois-je souligner que ces Syri ne peuvent fournir à Charles, le roi érudit, à ses clercs, à ses abbés, à ses sages qu'il chérit, ni les manuscrits qui recèlent la sagesse antique, ni les écrits sacrés qui éclairent leur foi ? Ce service-là, notre communauté, avec ses hommes instruits et sages, peut s'enorgueillir d'être la seule à être capable de le fournir.

1. L'Espagne musulmane.

Le gaon marqua une pause en buvant une gorgée d'eau fraîche.

— Pour nous évincer, les Syri n'ont qu'un seul moyen : nous perdre dans l'esprit du roi, transformer les bontés qu'il a pour nous — témoignage de l'amour qu'il porte à tous ceux qu'il gouverne — en haine, en répression ; quoi de plus efficace dans ce dessein criminel que de commettre ou faire commettre des agressions, des crimes qui nous seraient imputés et dont l'horreur est amplifiée par la jalousie et l'envie, par la malignité publique ?

— Certes ! approuva Erwin. Voilà qui est possible. Est-ce plausible ? Est-ce avéré ? Si quelque Levantin venait ici pour dresser contre vous un tel acte d'accusation, fondé sur des déductions, cela suffirait-il pour que je vous condamne ? Jugement exige preuves !

— Je ne suis pas venu pour réclamer jugement mais pour faire justice des calomnies dont notre communauté est l'objet. Si, de plus, mes informations peuvent servir les investigations que tu as entreprises, je ne pourrai que m'en réjouir. Dès maintenant je peux indiquer, par exemple, que l'homme qui se tenait à côté de Hendrik quand ton assistant se trouvait au camp des Mustelles s'appelle Seneb. C'est un chrétien originaire de Tyr qui passe pour diriger un réseau s'occupant à la fois de commerce et de contrebande (d'armes franques en particulier), qui est en liaison avec des bandes dangereuses et dispose, dit-on, de sicaires.

— Ce renseignement ne viendrait-il pas de Judith ? demanda le Saxon d'un air distrait.

Ammorich, sans répondre à cette question, enchaîna :

— A Lyon même, nos propres enquêteurs ont repéré plusieurs campements de Syri, établis récemment en bordure de la ville. Près de la Saône, plusieurs commerçants et artisans levantins exercent leurs activités. Ils ont des entrepôts le long de la rivière. Notre communauté étant calomniée, je me garderai de toute accusation non fondée. Il demeure que ces établissements sont autant de relais éventuels. Le meurtre et les agressions qui ont été commis n'ont pu être le fait d'un seul. Il y a fallu des exécuteurs, des informateurs, des complicités, un réseau.

— Évident !

— Sur tous ces aspects de la conspiration, nous sommes, je te le renouvelle, à l'entière disposition du missus dominicus.

— J'en suis certain, dit Erwin en se levant pour indiquer que l'entretien était terminé. Timothée, celui de mes assistants qui est en mission jusqu'à demain, assurera, comme il a déjà commencé à le faire, la liaison entre la communauté juive de Lyon, toi Ammorich, son *magister* Everard et moi-même. Si Daniel ne retourne pas à Condrieu, je souhaite qu'il soit désigné par vous pour remplir le même office auprès de moi.

— Il en sera ainsi, dit le gaon qui s'était levé à son tour ainsi que son jeune assistant.

— Encore un mot, ajouta le Saxon. Je souhaite que tout soit mis en œuvre pour la protection de Judith et de sa sœur Dinah. Je garderai donc le secret le plus strict sur l'origine des informations dont vous venez de faire état. Inutile de vous demander si vous vous y tiendrez aussi.

Mardochée, qui avait fini par se mettre debout, marmonna en souriant quelque chose à l'adresse du Saxon.

— Qu'a-t-il dit ? s'enquit ce dernier.

— Que décidément les Esthers te tiennent à cœur et que, naturellement il y est sensible puisque, dans le texte sacré, Mardochée est le cousin et le protégé d'Esther, traduisit Daniel.

Dès que la délégation de la communauté juive eut quitté la salle, le frère Antoine indiqua à Erwin que les indications qu'elle avait fournies devaient être mises en relation avec les observations que lui-même venait de faire dans les ruines de l'antique cité, en haut de Fourvière, et dont il fit part sur-le-champ. Encore une fois le missionnaire du roi réagit avec une promptitude qui surprit ses collaborateurs, pourtant habitués à sa détermination. A peine le moine avait-il fini son rapport que le Saxon lançait ses ordres : déjà les chevaux étaient sortis de l'écurie et sellés, déjà lui-même, Doremus et le Pansu s'étaient saisis de leurs armes, déjà ils enfourchaient leurs montures, déjà ils s'élançaient vers le sud pour arriver bientôt au camp de Saint-Irénée. Là, Arnold et trois gardes avec carquois, arcs et glaives se joignirent à la petite troupe qui gagna rapidement le plateau de Fourvière.

Elle s'approcha avec précaution de l'emplacement où se situait la demeure aux activités suspectes signalée par le frère Antoine. Plus aucune fumée ne s'élevait. Erwin et son escorte s'avancèrent. Dans la cour qu'à présent ils apercevaient, les feux semblaient presque éteints. Plus de femmes, plus d'enfants, plus d'ustensiles non plus. Les familles avaient dû quitter les lieux juste après l'irruption du Pansu.

Tout à coup, quatre ou cinq flèches partirent en direction d'Arnold et d'un autre garde qui étaient arrivés près de la maison et, au même moment, de derrière celle-ci partirent au grand galop de leurs chevaux quatre hommes armés. Deux d'entre eux prirent la direction du nord-ouest sur le chemin conduisant à travers les ruines à l'église Saint-Baudile. Deux autres, d'une façon apparemment téméraire, se dirigèrent vers la ville basse. Arnold et deux gardes se lancèrent à la poursuite des deux premiers, Erwin, Doremus et un garde sur les traces des deux autres. Le frère Antoine, dont la monture n'était pas faite pour la chasse à l'homme, entreprit d'inspecter le bâtiment abandonné.

La poursuite fut brève pour l'un des deux fuyards qui tentaient d'échapper à Arnold. Ce dernier, voyant qu'ils allaient atteindre un bois touffu où ils pourraient se dissimuler, décocha une flèche qui frappa au torse le cavalier le plus près de lui. Le fuyard tomba de cheval tandis que son compagnon parvenait à distancer le garde qui lui courait sus. Arnold envoya le milicien qui était resté avec lui prévenir Erwin et s'arrêta près du blessé qui gisait, gémissant, sur le sol caillouteux.

Le Saxon, pour sa part, n'avait pas réussi à rattraper ceux qu'il avait pris en chasse et qui dévalaient la colline. Au moment où il croyait enfin les tenir, à proximité de la ville basse, dans le quartier de l'église Saint-Laurent, il vit les deux suspects sauter à terre, abandonner leurs montures, et s'élancer dans un dédale de ruelles et de traboules[1]. Il laissa Doremus et un garde continuer la poursuite et, dûment prévenu, regagna le plateau où l'attendait Arnold.

Il le trouva auprès du blessé qui vomissait du sang et était visiblement à la dernière extrémité. Le Saxon se pencha pour lui donner à boire, mais l'homme qui était secoué de spasmes douloureux ne put rien absorber. Comme il paraissait, dans son agonie, vouloir prononcer d'ultimes paroles, l'abbé tendit l'oreille pour saisir sa confession. Le moribond murmura, en une espèce de grec : « La Salamandre me vengera et... » Le reste se perdit dans un vomissement sanglant. Le rebelle avait rendu l'âme.

1. Passage traversant un pâté de maisons.

CHAPITRE IV

La conversation qu'il avait eue avec Timothée avait persuadé Raoul le Rouvre que la mission qui lui avait été confiée revêtait une importance notable pour les envoyés du roi. S'il avait été tenté d'en douter, la bourse remplie de bons et beaux deniers qui était en sa possession aurait suffi à lui en rappeler la réalité. Il en concevait de la fierté et s'était mis immédiatement en mesure de répondre à la confiance qu'on lui avait faite.

Il s'agissait, en somme, d'observer les abords des édifices épiscopaux. Raoul établit un plan de surveillance et de rondes. Il lui fallait cependant continuer les exercices de force auxquels les badauds étaient habitués et qu'il accomplissait avec son fils, comme si cela constituait toujours, avec l'étal de sa fille, son unique moyen de subsistance. Le Grec avait bien insisté sur ce point : les interrompre eût paru suspect à ceux qu'on voulait démasquer et qui devaient être aux aguets. C'est donc à Lithaire, plus libre de ses mouvements, que revint, pour l'essentiel, la tâche de mener les investigations sur le terrain.

Elle l'entreprit avec entrain. Avoir l'air d'une jeune fille qui ne pense qu'à son minois et à ses atours, se promenant le nez au vent, et entrer secrètement dans un jeu passionnant et dangereux, cela comblait ses vœux. Elle était vive, observatrice et connaissait son monde, non seulement les ménagères qui venaient lui acheter des simples, des épices ou des condiments, et en profitaient pour faire la chronique du quartier, mais aussi les hommes qui la trouvaient jolie et rieuse, lui lançaient, au passage, des compliments et osaient des plaisanteries salées. Mais de loin et sans insister, car le Rouvre aurait mis bon ordre à toute galanterie excessive.

Donc, pour sa première journée d'enquête, ayant terminé ses ventes, elle partit, l'air affairé, comme pour quelque commission, vers le quartier qui, selon le plan de son père, devait être inspecté prioritairement.

Il s'agissait d'une rangée de maisons à demi ruinées et qui se trouvaient à la limite des rues de la Juiverie. Les destructions, pour une fois, ne résultaient pas des guerres qui avaient ravagé la ville, mais d'une coulée de boue qui avait glissé sur le flanc de la colline et avait enseveli une quinzaine d'habitations; vingt-cinq personnes avaient péri dans cette catastrophe. Depuis le lieu passait, à juste titre, pour dangereux et même, aux yeux de certains, pour maudit. Personne ne se serait risqué à y reconstruire une demeure. Bien peu osaient s'y aventurer. La rumeur publique y plaçait des spectres et des esprits malfaisants qui, disait-on, semblaient jaillir du sol.

Lithaire donc, tous les sens en éveil, non sans une crainte au fond d'elle-même, avait commencé par là son enquête. Comme elle passait près d'un amas de poutres, de chevrons et de planches, de tuiles, de gravats et de terre, qui s'élevait plus qu'à hauteur d'homme — tout ce qui restait d'une demeure — il lui sembla apercevoir un fantôme qui, en effet, avait surgi des entrailles de la terre. La jeune fille murmura très doucement une prière; immobile, sur place, et à demi cachée par un petit pan de mur, elle observait l'apparition qui bougeait seulement de droite à gauche, lentement, ce qui lui servait de face, comme si elle guettait une proie. Entendit-elle un bruit? Tout à coup elle jaillit, heureusement dans une direction qui l'éloignait de Lithaire, et emprunta dans le chaos des ruines un cheminement propre aux spectres; elle disparut bientôt. Seulement, pour un spectre, il avait, en courant, fait beaucoup trop de bruit.

La jeune fille se ressaisit. Cependant, le danger, pour ne plus être surnaturel, n'en demeurait pas moins mystérieux et redoutable. Prudente, elle envisagea que d'autres « fantômes » en chair et en os puissent apparaître à la suite du premier; elle laissa s'écouler un long moment avant de sortir de sa cache et de s'avancer, à pas comptés, vers l'endroit d'où s'était élancée la créature. Progressant alors non sans peine dans les décombres en dépit de son agilité, elle parvint jusqu'à une petite cour que l'amas des ruines dissimulait aux regards. Elle aperçut, grossièrement cachée sous des branchages, une trappe. Le cœur battant, elle s'en approcha, en saisit l'anneau, tira de toutes ses forces et finit par l'ouvrir. Devant elle se trouvait un escalier de pierre qui s'enfonçait dans la terre. Elle fut tentée un instant d'en entreprendre l'exploration. Mais l'importance de sa découverte était telle qu'elle ne devait prendre aucun risque. Du reste, les consignes du Grec que lui avait transmises son père étaient sans ambiguïté : tout élément nouveau devait être immédiatement porté à la connaissance des missionnaires du roi. Elle referma donc la trappe, remit en place les branchages et s'immobilisa au milieu de cette cour en s'efforçant de bien noter en son esprit la disposition des lieux en vue d'un compte rendu précis. Son regard tomba sur l'amorce, au milieu d'herbes hautes et de ronces, d'une sorte de sentier qui, sous le couvert des ruines, devait mener hors de la zone maudite. Sa direction lui parut correspondre à celle qu'avait suivie le spectre. Pour en avoir le cœur net, Lithaire, affrontant les épines et les ronciers, l'emprunta elle-même et se retrouva sur un chemin qui courait à flanc de colline et qui surplombait de quelques pieds les maisons du quartier juif. Une sente courte et très raide lui permit de retrouver les rues de la ville basse. Elle se dirigea vers sa demeure.

Elle y trouva son père qui se reposait entre deux représentations. Elle lui raconta la découverte qu'elle venait de faire. Il importait d'avertir de toute urgence la mission royale. Le Rouvre fit valoir qu'il lui était difficile — discrétion oblige — d'interrompre sans explication ses exercices de force. Surtout, il lui sembla préférable que le compte rendu de ce que Lithaire avait observé fût

116

fait par elle-même, sans intermédiaire ; le missus dominicus ou l'un de ses adjoints pourrait de la sorte faire préciser tel ou tel détail.

La jeune fille prit donc le chemin de l'*Auberge des Quatre Cavaliers*. Elle demanda à l'un des gardes à rencontrer le seigneur Erwin ou l'un de ses assistants pour affaire d'importance. Le milicien, d'abord, ne la prit pas au sérieux, plaisantant même. Il finit cependant, sur son insistance — elle « ne lui prédisait pas un bon avenir s'il persistait dans son refus » , par prévenir Jean, le commis de la mission. Dans la salle où elle avait été conduite, elle vit venir à elle non cet abbé saxon qu'on lui avait décrit comme peu commode, mais un jeune homme vif, bien découplé, avenant. Elle lui annonça qu'elle venait de la part de Raoul le Rouvre, son père, pour une communication de grand intérêt. Jean indiqua qu'il avait été mis au courant des arrangements convenus par Timothée.

— L'homme au collier de barbe ? demanda-t-elle.

— Exactement, répondit le jeune homme, amusé.

Lithaire rappela que, selon les arrangements en question, elle ne pouvait faire part des informations qu'elle détenait qu'à l'envoyé du souverain lui-même ou à ses assistants.

— Ne peux-tu, cependant, m'indiquer au moins de quoi il s'agit ? s'enquit le commis.

— Je ne voudrais pas que tu m'en veuilles, répliqua-t-elle... Au fait, comment t'appelles-tu ?

— Jean !

— Donc, Jean, ne m'en veux pas... Mais enfin... tu vois... Ce Grec a bien précisé les choses. Il a dit « assistants directs ». Es-tu un « assistant direct » ?

— Pas vraiment, bien que je sache beaucoup de choses et que je sois capable d'en comprendre nombre d'autres. Quant à l'abbé Erwin et à ses aides, mes maîtres « directs », tu ne pourras pas les rencontrer tout de suite. Ils sont tous absents en ce moment. Ils doivent être de retour dans la soirée, pour la collation, je pense.

— Ne peut-on joindre l'un ou l'autre ?

— Je ne sais pas où ils se trouvent exactement et, si je le savais, je n'aurais pas le droit de te le révéler. Tu as tes secrets. J'ai les miens.

— Bien répondu, ponctua Lithaire qui parut hésiter un instant.

Elle décida finalement de ne pas enfreindre les consignes données par le Grec.

— Je n'habite pas très loin d'ici, dit-elle. Je pourrai donc revenir en fin d'après-midi...

Elle sourit.

— ... avec mon père.

Le missus dominicus, le frère Antoine et Doremus avaient rejoint le camp de Saint-Irénée. Arnold, lui, était parti pour l'île Barbe, d'une part afin de vérifier les conditions d'internement de Sigbert, l'ancien chef de la garde, et de son intendant Florian, d'autre part et surtout pour accueillir une quinzaine d'hommes libres (appelés, exceptionnellement au titre du service d'ost, à renforcer la milice de la ville) qui devaient se rassembler là dans la soirée et rejoindre ensuite la garnison.

118

Erwin tenait conseil avec ses adjoints. Il n'était qu'à moitié satisfait et cela se voyait clairement à son attitude raide, à son visage fermé. Il déplorait tout ensemble que trois suspects aient pu s'échapper et que le quatrième ait été tué (son corps avait été ramené au camp sur un chariot). Certes, le renseignement que celui-ci avait fourni malgré lui au seuil de la mort ne manquait pas d'importance, mais combien plus intéressant eût été de pouvoir lui en faire dire davantage, vivant, de lui arracher des aveux.

Il lança sèchement à Doremus qui lui rendait compte de ses investigations, et non sans injustice car c'était lui, Erwin, qui avait mené la poursuite :

— Alors, c'est tout ?

— Mais ce n'est déjà pas si mal, lui répondit l'ancien rebelle sans se démonter. Nous savons maintenant qu'un *ponto* était à la disposition des suspects à l'embarcadère de Saint-Laurent. Cela suppose des moyens, des complicités, une organisation étendue.

— Et puis ? ponctua Erwin d'un ton froid.

— Sur ce bateau qui s'éloignait, il m'a semblé apercevoir non pas deux mais plusieurs hommes.

— Qui dit chaland dit mariniers, forcément, souligna frère Antoine, apaisant.

— Forcément, acquiesça Doremus. Donc plusieurs hommes... et aussi des femmes et peut-être des enfants... Le *ponto* était déjà loin.

— Nous savons cela, lâcha Erwin.

— J'ai donc mené une enquête auprès des badauds et des marchands situés alentour, poursuivit placidement l'ancien rebelle. Je n'ai eu

aucune peine à faire bavarder les gens, une piécette par-ci, une piécette par-là.

— Bref, dit le Saxon en tapotant sur la table.

— Bref, trois femmes et cinq enfants sont arrivés à l'embarcadère (une heure environ avant
ceux que nous avons poursuivis) à bord d'un
fourgon qui transportait également tout un bric-à-
brac...

— Voilà qui correspond tout à fait à ce que j'ai
observé là-haut, souligna le moine.

— Tout ce monde était attendu par trois mariniers. Avec leur aide, ce matériel a été transporté,
non sans peine, sur le *ponto*. Après quoi elles ont
embarqué avec leur marmaille. Puis mariniers,
femmes et enfants ont attendu, apparemment
impatients et inquiets, à ce qu'on m'a dit. La suite
est facile à reconstituer. Les deux fugitifs, s'étant
débarrassés de leurs montures, se précipitent par
traboules et venelles jusqu'au bateau ; ils se
savaient attendus. Avec le peu d'avance qu'ils
avaient sur nous, ils parviennent à larguer les
amarres. Ils sont déjà loin quand j'arrive enfin au
bord de la Saône.

Le Saxon fixa Doremus qui avait terminé son
compte rendu. Soudainement il sourit :

— Décidément, beaucoup de calme et du bon
sens, lui dit-il, même si...

Il n'acheva pas sa phrase.

— N'est-ce pas pour cela que tu m'as pris à
ton service ? répondit l'ancien rebelle.

Le missus dominicus se tourna vers le Pansu.

— Et toi ? lui lança-t-il d'un air faussement
bourru.

120

— Mon butin est plutôt maigre, confessa le moine. La demeure imposante, mais plus qu'à moitié en ruine (sans doute une maison du temps jadis), que j'ai explorée avait certainement servi de refuge, et pendant plusieurs jours, à en juger par les déchets qui étaient entassés. Les cendres étaient encore chaudes, ce qui confirme un départ récent. Pour le reste, rien... et tellement rien que cela devient significatif. Seuls, pour moi, des coupables veillent aussi soigneusement à ne laisser aucun indice derrière eux.

— Sans doute, approuva le Saxon. Sauf ceci : dans leur fuite, ils ne sont pas passés inaperçus.

— Ils ne l'avaient sans doute pas prévue si précipitée.

— J'ai oublié de vous dire, intervint Doremus, que tous ceux que j'ai interrogés au quartier Saint-Laurent m'ont décrit les fuyards comme étant certainement des Syri, d'après leurs vêtements et aussi parce que personne ne comprenait ce qu'ils disaient lorsqu'ils s'exprimaient entre eux.

— La Salamandre, des agressions, des Syri et bien d'autres choses encore... tout cela commence à prendre forme, murmura Erwin. Commence seulement... Et puis reste celui qui nous a échappé et fuyait en direction du nord.

— Tu penses à la bande de Crispo le Rouge, demanda Doremus, celle dont Hendrik m'a parlé ?

— Pourquoi pas ?

Le frère Antoine et le « rebelle » laissèrent leur maître plongé dans ses pensées un long moment.

— Rentrons ! dit celui-ci simplement.

Quand ils arrivèrent à l'auberge qui leur servait de quartier général, les trois hommes furent accueillis par leur valet, Jean. Celui-ci leur indiqua que Raoul et sa fille les attendaient « pour affaire importante ». L'envoyé du souverain et ses deux assistants reçurent immédiatement le Rouvre et Lithaire dans l'une des salles de la taverne, à huis clos. La jeune fille, pas trop impressionnée, fit le récit détaillé de ce qu'elle avait découvert. A sa grande surprise et satisfaction, elle reçut des félicitations du Saxon qui lui parut moins rébarbatif que la description qu'on en avait faite.

— Tu as bien agi, lui dit Erwin. Tu as vu ce qu'il fallait voir, fait ce qu'il fallait faire. Tu as été très sage de ne pas aller plus avant, de penser tout de suite à avertir ton père et de venir ici pour nous tenir au courant.

— Merci, seigneur, répondit le Rouvre, ému. Je l'ai élevée selon nos principes à nous : sagesse et obéissance.

— Ce sont aussi mes principes, dit doucement l'abbé saxon. J'obéis : au roi et à Dieu... Oui, Raoul, tu peux être fier de ta fille. Ce qu'elle a rapporté est du plus grand intérêt. Inutile de souligner que le silence, en cette affaire, s'impose à tous.

— J'ai déjà dit à celui de tes assistants qui n'est pas ici aujourd'hui que je suis bonimenteur mais pas bavard, souligna le saltimbanque. Quant à Lithaire...

— Elle a montré sa discrétion... Reste qu'il faut explorer le souterrain et surtout savoir où il débouche. Cela ne peut être entrepris dans l'obscurité, ni sans précautions.

Comme le missus dominicus réfléchissait, Lithaire éleva timidement la voix :

— Voilà ! Ce que j'ai vu... ce passage souterrain... il est assez étroit, il m'a semblé. Je pourrai donc...

— Lithaire ! interrompit Raoul d'un ton de reproche.

— Mais, père...

— Voyons, Lithaire ! répéta le Rouvre.

La jeune fille regarda Erwin d'un air presque suppliant. Celui-ci se racla la gorge.

— Eh bien, dit-il, voici ce qui me paraît sage : je vais confier la direction de cette exploration à Doremus.

Il se tourna vers le Pansu et précisa :

— J'aurais pu penser à toi, aussi. Mais si le passage est aussi exigu qu'elle le dit, tu serais peut-être un peu gêné.

— ... tandis que lui, il ne risque pas d'être embarrassé par sa chevelure, jeta le moine d'un air dépité, cependant que Raoul et sa fille ne pouvaient retenir leurs rires.

— Avant toute chose, reprit le Saxon, je veux faire à Lithaire un présent pour lui montrer notre estime et notre confiance. C'est un cadeau qu'on ne fait pas en général à une jeune fille, mais toutes les femmes ne se conduisent pas avec le sang-froid qu'elle a montré.

Il sortit un poignard de sa gaine ouvragée :

— Voici une arme dont tu es digne. Fais attention, elle est très effilée.

Il replaça la lame dans sa gaine et en tendit le manche à Lithaire qui prit l'arme avec émotion.

— Désormais, elle est à toi. Mais qu'y a-t-il? demanda l'envoyé du roi, sentant une légère réticence dans l'attitude de la jeune fille.

— Cela veut-il dire que pour cette exploration...? demanda-t-elle, laissant sa phrase en suspens.

— Voici comment nous allons procéder demain, enchaîna Erwin sans répondre à Lithaire.

Timothée et les deux gardes que son maître lui avait imposés pour sa sécurité arrivèrent avant la nuit à Mâcon. Partis tôt dans la matinée, juste après la réunion qui avait permis aux uns et aux autres de faire le point, les trois cavaliers avaient progressé rapidement, car ils n'étaient pas alourdis par leurs armes ou leurs bagages : le Grec n'avait emporté que son épée courte et chacun des gardes une dague, un arc et douze flèches. Ils avaient trouvé des montures fraîches aux relais d'Anse puis de Belleville. Ils s'étaient restaurés rapidement en chemin de pain, de lard et de fromage. Ils n'avaient fait aucune rencontre dangereuse, aucun incident n'avait troublé leur route. Tout le long du trajet, Timothée avait pensé au récit détaillé que le frère Antoine lui avait fait de sa visite à l'abbaye Saint-Martin-d'Ainay. Le moine avait expliqué cette minutie à sa façon :

— Tu crois peut-être, avait-il dit, que tu pars pour pêcher à la ligne. Mais il se peut que tu pêches au filet. Mieux vaut donc que tu en saches trop que pas assez.

124

Le Grec pensa que l'épaisseur physique et la bonhomie apparente du Pansu dissimulaient une redoutable faculté d'observation et une acuité d'esprit hors du commun. Au fond, se dit-il, non sans vanité, lui dans le genre rond et moi dans le genre mince, nous nous ressemblons fort.

L'arrivée à l'évêché de Mâcon de Timothée et de ses gardes surprit son titulaire, surtout quand le Grec produisit le message qui l'accréditait et qui portait le sceau de l'abbé Erwin, missus dominicus. Bien que l'heure du repas du soir fût passée, l'évêque Clément fit servir à Timothée qui n'entendait pas jeûner une collation faite d'une tourte, d'une carpe frite et de fruits, le tout accompagné de ce vin gouleyant que produisent les vignes du Mâconnais. Les gardes avaient, en cuisine, dévoré une potée.

Le Grec, rassasié, en vint à l'objet de sa visite :

— Ce que je vais te demander, mon père, te semblera peut-être singulier et ne pas justifier le voyage qui m'a mené ici. Mais si ce n'était pas important, l'envoyé du souverain me l'aurait-il ordonné ?

— Sans doute pas, répondit l'évêque sans se compromettre.

— Donc, voici : je veux simplement savoir si le scriptorium de Saint-Martin-d'Ainay a fait parvenir récemment à la bibliothèque de ton diocèse un manuscrit, en l'occurrence une copie de la *Vie des douze Césars*.

— Je ne puis te l'assurer comme cela. Mais je fais venir à l'instant le frère bibliothécaire. En attendant, reprends de ces succulentes cerises.

Le préposé aux manuscrits arriva en effet sans tarder. Il indiqua qu'une telle copie, venant du scriptorium en question, « excellente copie d'ailleurs », lui avait été livrée.

— Manuscrit complet ? demanda le Grec. Douze Césars, pas un de moins ?

— Évidemment ! répliqua le bibliothécaire avec agacement. Douze Césars, pas onze ni dix, et bien de Suétone.

— L'as-tu vérifié toi-même ?

— Je ne laisse jamais ce soin à un autre ! s'exclama l'érudit, outré.

— Le manuscrit est-il arrivé en une seule fois, relié ?

— Par ma foi, comment pourrait-il en être autrement ! s'écria l'interlocuteur du Grec, avec colère.

— Calme-toi, mon fils, intervint l'évêque. Ces questions sont sans doute indispensables.

— Elles le sont, trancha Timothée, très sec. Donc vous n'avez pu recevoir aucun message comportant des excuses pour un retard dans la livraison, voire pour n'avoir fourni qu'une partie de l'ouvrage ?

— Encore une fois... commença le bibliothécaire.

L'évêque l'arrêta d'un geste.

— Je n'ai, nous n'avons reçu, précisa-t-il, aucun message de ce genre. D'ailleurs, pourquoi en aurait-on envoyé un puisque le manuscrit a été livré à temps et complet ? Veux-tu t'en rendre compte par toi-même ?

— Nul besoin ! Ta parole et celle de ce moine,

126

aussi savant que prompt à s'indigner, mais à qui on peut sûrement se fier, me suffisent largement.

Quand le préposé à la bibliothèque, rasséréné, eut quitté la salle, le Grec remercia l'évêque Clément, et lui demanda en passant s'il recevait souvent des voyageurs, des pèlerins, dans son diocèse, « car son hospitalité devait être fameuse ».

— Souvent, très souvent, non, précisa l'évêque. Mais de temps à autre. C'est un point de passage ici, une étape : de Chalon à Mâcon, il y a deux jours de voyage, de Mâcon à Lyon deux autres. Tout le monde ne dispose pas des relais et des facilités que possède le serviteur d'un envoyé du roi.

— Te souviens-tu de quelque passage sortant de l'ordinaire, remarquable par quelque côté ?

L'évêque réfléchit un instant.

— Assez récemment, dit-il, sont arrivés trois voyageurs qui disaient venir de Bavière et plus précisément de Ratisbonne.

— Pourquoi : « qui disaient venir... » ?

— C'étaient certainement des gens d'importance. Mais je ne saurais t'en dire les noms. Ils m'en ont fourni que tu trouveras sur mes registres. Je doute que ce soient bien les leurs.

— Pourquoi cela ?

— Ils prétendaient être pèlerins. Ils n'en avaient ni le ton ni l'allure. Arrogants plutôt que humbles. Quant aux dévotions... Ils s'étaient inscrits avec des noms bavarois. Mais entre eux ils s'exprimaient en francique.

— Quoi d'étonnant ?

— Je me connais en cette langue qui est la

mienne. C'était un excellent francique, pas un langage abâtardi comme on le rencontre trop souvent au Sud ou à l'Ouest; le francique des meilleures familles, au moins pour deux d'entre eux. Du troisième, je n'ai entendu que quelques phrases prononcées en latin. Là encore, un très bon latin.

— Celui d'un Irlandais, d'un Lombard, d'un Aquitain, d'un homme de la Narbonnaise? demanda le Grec.

— Comment te répondre? Je dirais plutôt d'un Italien.

Timothée hocha la tête.

— Y a-t-il longtemps que ces hommes sont passés? demanda-t-il.

— Vingt jours exactement. Ils ne sont restés ici qu'une nuit.

— Sais-tu quelle direction ils ont prise en partant?

— A ce qu'on m'a dit, la route du Sud.

Le Grec remercia l'évêque Clément et gagna la cellule monacale qui avait été mise à sa disposition, en réfléchissant à ce qu'il venait d'apprendre, avec une pensée pour les prémonitions de frère Antoine.

Le lendemain, après matines, dès l'aube, le corps lesté d'une soupe, Timothée et ses deux gardes reprirent la direction de Lyon. A l'évêque qui les avait accompagnés jusqu'à leurs montures, Timothée, par acquis de conscience, avait demandé si les trois voyageurs mystérieux n'avaient pas laissé quelques traces de leur passage. « Non, vraiment », lui avait-il répondu.

— Je ferai bon rapport à l'envoyé du roi, mon maître, de l'accueil que j'ai reçu en ton évêché, assura le Grec en donnant le signal du départ.

Au camp de Saint-Irénée, devant le missus dominicus qui, pour une fois, avait revêtu la broigne et portait au côté son épée indienne dans son étui damasquiné, se tenaient trente gardes en armes — glaives, écu, arc et carquois — soit une quinzaine de combattants qu'Arnold avait jugés vaillants et qualifiés, à quoi s'ajoutait la quinzaine d'hommes libres recrutés en hâte et qu'il avait ramenés la veille de l'île Barbe où ils s'étaient rassemblés. Ne manquaient sur les rangs que ceux qui avaient accompagné Timothée et ceux qui étaient de garde.

Aucun des combattants présents n'avait participé jusque-là à une cérémonie solennelle comme celle que le Saxon avait ordonnée et qui les réunissait au soleil levant. Cet abbé impressionnant qui se tenait impassible devant eux et qui, l'avant-veille, au dire de ceux qui avaient vécu la scène, avait agi avec une brutalité terrifiante, qu'allait-il maintenant faire, dire ? Allait-il à nouveau manier la hache ? Allait-il leur parler de leurs tâches à venir et de leur devoir ? Tous éprouvaient de la crainte, mais aussi de la fierté, car de leur alignement strict émanait une impression de force et d'assurance.

Le représentant du souverain passa lentement devant les hommes en rang, rectifiant ici la tenue de l'écu, là le port du glaive, ailleurs la position du carquois... Cette revue terminée, sans qu'il eût prononcé une seule parole, il s'éloigna de quelques pas, fit face à la garde, appela à ses côtés Arnold, qui se plaça un peu en retrait, puis il dit sans forcer la voix :

— Vous voici miliciens du roi !

Comme quelques gardes s'apprêtaient à lever leur bouclier en signe d'allégresse, le Saxon les arrêta d'un geste.

— J'en ai ainsi décidé, moi, abbé Erwin, missus dominicus, pourvu, par capitulaire du roi Charles, de pleins pouvoirs notamment quant au respect de son autorité, quant à celui de l'ordre, de la tranquillité et de la paix publics, proclamat-il. J'ai donc pris en vertu de ces pouvoirs le commandement de la milice du comté de Lyon. Ne vous y trompez pas ! Quoique abbé et comme tel ne devant pas manier des armes, j'assumerai pleinement ce commandement et ne me priverai certainement pas du secours de mon glaive. J'ai confié à Arnold, ici présent, le soin d'exécuter et de faire exécuter mes décisions. Le service du roi Charles, le Toujours Victorieux, est, vous le savez, exigeant. Il demande force et ruse, courage et abnégation. Les paresseux, les tricheurs et les lâches, s'il s'en trouvait parmi vous, éprouveraient tout le poids de ma rigueur. Je serais sans pitié ! Mais, à vous regarder, je veux croire qu'il ne s'en trouve plus dans vos rangs. Arnold que voici, en bon majordome, a fait nettoyer à fond la maison.

Cette comparaison détendit un peu l'atmosphère.

— Ce que j'ai sous les yeux est, certes, loin

d'être au mieux, poursuivit l'abbé. Mais je vous sens tous animés par la volonté de servir le Dieu des victoires et son roi. C'est à mes yeux l'essentiel. Le reste viendra avec un bon entraînement, mené rondement et s'il le faut rudement. Nous pouvons, tous, être appelés à combattre très prochainement. Vous savez — je vois dans vos rangs des vétérans que je salue — vous savez donc qu'un homme de guerre mal entraîné est un homme qu'on enterre bientôt sur le champ de bataille. Seul reste vivant et victorieux celui qui s'est plié à la préparation la plus rigoureuse. J'y veillerai... — un court silence — ... dans l'intérêt même de vos vies !

Des sourires accueillirent cette précision.

— L'escarmouche qui a eu lieu hier après-midi et au cours de laquelle a été tué le rebelle qui gît là — il montra une resserre — avant d'être enseveli chrétiennement — car même coupable et dévoyé il faisait et fait partie du peuple de Dieu —, cette escarmouche n'est peut-être que le début d'engagements plus redoutables... Pourquoi ?

Le missus dominicus jeta sur ses hommes un regard qui exprimait sa préoccupation mais aussi sa résolution.

— Parce que tout me donne à penser que des conspirateurs très dangereux et audacieux sont à l'œuvre. Ils ont déjà assassiné, vous le savez, un envoyé de la chancellerie royale, en ont blessé un autre grièvement. Ils ont tenté de faire périr deux de mes assistants. Non, leur audace n'a pas de limite... Mais notre détermination n'en a pas non plus ! N'est-ce pas ?

Un brouhaha accueillit cette apostrophe.

— Je n'en veux pour preuve que la façon dont, hier, nous avons débusqué des rebelles et dont nous avons mené la chasse. Il faudra que nous fassions mieux encore la prochaine fois. Attrapez-en un vivant et nous saurons lui délier la langue, je vous l'assure !

Des rires féroces ponctuèrent cette affirmation.

— Et maintenant, lança le Saxon sur un ton moins grave, je crois que quelques cruchons de bon vin nous attendent. Pourquoi les laisserions-nous languir ?

Acclamé, l'abbé attendit que le silence revienne sur les rangs pour dire aux gardes :

— Auparavant, mes enfants, nous allons prier pour notre roi et ses fils, pour les royaumes qu'ils dirigent ! Prions le Tout-Puissant d'inspirer notre esprit, de soutenir notre bras, de nous aider à écraser les ennemis de l'ombre, de nous faire victorieux.

— Ainsi soit-il, répondirent les miliciens qui se joignirent à la prière.

En passant près d'Arnold, Erwin lui glissa :

— J'espère qu'on n'a pas oublié de prévoir pour moi un flacon d'hydromel !

Timothée et ses gardes avaient atteint rapidement le relais de Belleville où ils devaient changer de chevaux. Maître Firmin qui le dirigeait vint dire au Grec, au moment où il se désaltérait, qu'il souhaitait s'entretenir seul à seul avec lui. Les deux hommes s'installèrent sous une tonnelle.

— As-tu l'intention de continuer par la rive droite vers Anse ? demanda l'hôtelier.

— C'est par cette route que je suis passé pour aller sur Mâcon, souligna le Grec.

— Tu as eu de la chance.

— Comment cela ?

Maître Firmin prit un air soucieux :

— Je ne sais pas ce qui se passe, dit-il, mais la bande des Foustes...

— Celle de Crispo le Rouge ?

— ... oui ! Donc ces Foustes ont multiplié ces temps-ci leurs forfaits. Non contents de sévir en bordure de leurs refuges, ils ont lancé des attaques sur les routes et jusqu'aux portes de Belleville. Pillages dans les fermes, vols de bétail, percepteurs de tonlieux agressés et même un colon tué. J'en oublie...

Le Goupil observait cet homme qui, devant lui, exprimait ses craintes. Il était de taille élevée, robuste. Il devait avoir entre trente et quarante ans. Sa joue gauche était marquée par une longue balafre. Il n'avait pas l'air d'une de ces mauviettes qu'un rien effraie.

— Pourquoi ces brigands se gêneraient-ils d'ailleurs ? poursuivit Firmin. Les milices ? Une expédition par-ci par-là... La bande s'éloigne pour un temps... Le danger passe, tout reprend de plus belle.

Le maître du relais réfléchit un instant.

— Mais ces temps-ci, je te l'ai dit... Comme s'ils étaient assurés de leur impunité, souligna-t-il. Il y a quelque chose, l'ami...

Il se redressa :

— Eh bien, moi, j'ai déjà pris les choses en main. Et puisque aucune milice ne vient vraiment à notre secours, j'en ai constitué une, sur Belle-ville. Tu pourras le dire à ton maître. Il y a ici nombre de vétérans, comme moi, qui ont parti-cipé, sous les ordres de notre roi ou de ses fils, aux campagnes de Saxe, de Frise et de Bavière. Des hommes libres, courageux et tout à fait déci-dés à défendre leurs familles et leurs biens, pas des petites tenures de rien du tout, mais des bon-niers[1] et des bonniers de champs, de pâtures et de vignes. J'ai vingt vétérans, avec moi... décidés aussi à défendre colons et même esclaves !

— Qui commande ?

— Moi ! J'ai déjà commandé une escouade, là-bas, au Nord. Nous sommes bien armés, nos mon-tures... Mais tu as vu...

— Oui, remarquables chevaux.

— Il y a une semaine, Crispo, avec cinq ou six des siens, a voulu attaquer une grosse ferme près d'ici, pour ainsi dire sous mon nez. S'il voulait voir, il a été servi. J'ai avec moi un jeunot, un maître archer. Deux flèches ont suffi. Elles ont fait mouche. Le Crispo est reparti avec ses bles-sés, peut-être ses morts. Il avait fait mine d'atta-quer, mais dix cavaliers avec glaive et hache l'attendaient. Il a donc foutu le camp !

Maître Firmin ponctua cette description d'un franc rire. Puis redevenu soucieux, il indiqua :

— Mon escouade peut surveiller Belleville et ses environs. Mais au-delà d'une ou deux lieues...

— C'est déjà très méritoire, dit Timothée.

1. Un bonnier valait autour de 14 000 m^2, sa superficie variant selon les pays.

— Donc je ne sais pas ce que tu vas trouver sur ta route. Cependant, je peux faire quelque chose pour l'amour de notre roi et de son envoyé. Donne-moi une demi-journée. Je rassemble mes vétérans et nous assurerons, avec l'appui de tes deux gardes, ta protection jusqu'à Anse.

Le Grec remercia chaleureusement le maître du relais.

— A un ami du roi, poursuivit-il, je peux bien le dire : j'ai récolté à Mâcon des renseignements de très grande importance ; et ceux que tu m'as donnés ne le sont pas moins. Mon devoir est de les communiquer de toute urgence au missus dominicus, l'abbé Erwin. Il m'est interdit de prendre le moindre risque dans un affrontement possible, voire probable. Ne me juge pas mal ! Je ne suis pas un couard.

— Je ne pense rien de tel. Le seul fait que tu te sois risqué sans autre escorte que deux malheureux gardes sur une route dangereuse, alors que tu connaissais les méfaits des Foustes, me prouve le contraire.

— Merci l'ami pour ce jugement. D'ailleurs, quelque chose me dit que j'aurai l'occasion de te montrer ce que je vaux au combat. Mais, pour l'heure, je dois regagner Lyon, le plus sûrement et le plus rapidement possible.

— Je ne vois qu'un moyen : passer la Saône et, à partir de Guéreins, suivre la route de la rive gauche.

— Et sur cette route-là, pas de mauvaises rencontres ?

— Pas de bande, en tout cas. De la petite

engeance, oui, voleurs de poules, braconniers, détrousseurs de marchés, mais qui n'oseraient pas s'attaquer à trois hommes armés.

L'hôtelier, après avoir bu quelques gorgées de vin, reprit :

— Je dispose d'un bac qui vous transportera facilement avec les chevaux jusqu'à l'autre bord. Vous trouverez un relais à Trévoux où vous pourrez changer de monture. Le maître de ce relais est un de mes amis.

— Merci, maître Firmin. Nous ferons donc ainsi. Avant de te quitter, je tiens à te dire ceci : l'envoyé du souverain que je sers apprendra par ma bouche ce que tu as fait : pour la défense de ceux, esclaves, colons et hommes libres qui cultivent ce pays, et aussi, aujourd'hui, pour moi... Si ! laisse-moi terminer. Je puis t'assurer que cela ne sera pas oublié. Donc, à bientôt, sans doute.

— Je vais t'accompagner, avec tes gardes, jusqu'à l'embarcadère, dit le maître du relais.

— Pas avant que nous n'ayons tâté encore une fois de ton excellent vin miellé.

Au milieu de la matinée commencèrent près du « lieu maudit » d'étranges mouvements. Quatre gardes en armes descendus du camp de Saint-Irénée prirent position aux carrefours qui en constituaient les points d'accès. Un chariot s'arrêta près de l'endroit où Lithaire avait découvert le débouché d'un souterrain. Puis s'approchèrent un des assistants du missus dominicus qui portait, attachée à un cordon en sautoir, une corne de chasse, son valet et un autre garde. Ces deux derniers sortirent du chariot un équipement guerrier : deux épées, deux coutelas, deux casques, un écu, une hache et une barre de fer, plus un rouleau de corde et des lampes à huile, et même une cassette portée précautionneusement par le valet.

Quelques badauds commencèrent à s'assembler, brûlant de curiosité. Les gardes les laissèrent avancer. Parmi eux ne tardèrent pas à se trouver Raoul le Rouvre, son fils Lucien et Lithaire.

Calmement, et non sans quelque solennité, Doremus ceignit son épée et son coutelas, se coiffa d'un casque, plaça son écu au bras gauche et de la main droite saisit une lampe allumée. Jean le valet s'empara de la hache, de la barre de fer et d'un lumignon. Le garde, lui, s'équipa d'une épée et d'un coutelas ainsi que d'un casque et plaça le rouleau de corde sur son épaule, en bandoulière. Il prit lui aussi une lampe.

Les trois hommes passèrent par-dessus les gravats et arrivèrent dans la cour d'où partait le souterrain. A ce moment Lithaire, paraissant déjouer toute surveillance, les rejoignit. Était-elle attendue ? Elle examina les branchages qui recouvraient la trappe d'accès.

— On y a touché, dit-elle. J'en suis sûre.

— Moi aussi puisque tu le constates, acquiesça Doremus.

Puis il se tourna vers Jean et le garde et murmura :

— Vous savez ce que cela signifie : redoubler d'attention.

On vit alors, on comprit ce que contenait la

cassette : un crucifix en ivoire, celui que tout Lyon connaissait pour avoir été bénit, très, très longtemps auparavant, par Nizier, saint évêque de la ville, et qui possédait la vertu de faire fuir les puissances des ténèbres. Jean le confia à la vierge Lithaire qui passa à son cou le cordon de soie auquel il était attaché. Il lui donna aussi la lampe qu'il tenait. Comme la cour était en partie cachée par des décombres, quelques curieux étaient montés sur des arbres ou sur des talus pour savoir ce que signifiaient ces agissements qui ne manqueraient pas d'alimenter les bavardages pour des décennies. Ils virent, avec étonnement, le garde écarter des branchages, dévoiler une trappe, l'ouvrir ; puis, successivement, s'enfoncèrent dans la terre l'assistant, Lithaire (l'information immédiatement répercutée par les guetteurs suscita une rumeur de stupéfaction), le valet armé d'une hache et d'une barre de fer et enfin le garde. A cet instant précis, les miliciens de faction aux carrefours tirèrent leurs glaives et empêchèrent quiconque de quitter les alentours du « lieu maudit ». Le Rouvre et Lucien, pour leur part, à peu de distance des groupes de badauds, étaient aux aguets, attentifs à tout déplacement pouvant être tenu pour suspect.

Le souterrain s'enfonçait d'abord par un escalier incommode, assez raide et étroit, glissant de surcroît. Rapidement, les explorateurs arrivèrent à un couloir plus large et plat. Les murs suintaient. Des pierres mouillées roulaient sous les pieds. Un faible courant d'air faisait trembler la flamme des lampes à huile qui éclairaient vaguement les parois. Des trottinements ! Des rats sans doute. Lithaire serra contre elle le crucifix en priant. Elle suivait le plus près possible Doremus, qui avançait prudemment et élevait de temps à autre son lumignon pour tenter de mieux éclairer le chemin devant lui. Jean progressait, tous les sens en alerte, derrière la jeune fille dont il entendait l'oraison avec la sensation exaltante qu'il lui avait été donné de veiller sur elle, de la protéger. Il bénissait le Saxon et son maître de lui avoir fait confiance, de lui avoir offert de tels instants. Quant à celui qui fermait la marche, il était tout entier à son devoir. Il se retournait fréquemment, maniant lui aussi sa lampe de manière à mieux surveiller le chemin, celui qui avait été déjà parcouru. Certes, il y avait bien peu de risques qu'ils eussent été suivis, étant donné les précautions prises en surface. Mais on ne pouvait exclure l'existence de souterrains débouchant de manière sournoise sur celui où se trouvait la petite expédition. Il avait été choisi comme garde en mission exceptionnelle. Il avait à cœur de remplir ce rôle avec une vigilance non moins exceptionnelle.

Après un long cheminement, Doremus et ses aides débouchèrent sur une sorte de caverne, qui était peut-être une suite de caves à demi effondrées et qu'éclairait doucement un puits de lumière. Leur arrivée provoqua le brusque envol de chauves-souris, par dizaines. Lithaire retint à grand-peine un cri, serrant de sa main droite le manche de son poignard. Jean posa un instant ses « armes » pour éloigner les « oiseaux des ténèbres », qui tourbillonnaient de manière désordonnée, afin d'éviter que l'un d'eux ne se prît dans la chevelure de la jeune fille qu'une coiffe ne protégeait guère. Quant à Doremus, il pensa en souriant à la boutade du Pansu : il était donc vrai qu'en certains cas la calvitie pouvait être un avantage. De toute façon, n'était-il pas casqué ?

Après s'être reposé un court instant dans cette grotte dont les habitants ailés avaient fini par se calmer, le groupe reprit sa marche. Le souterrain s'était à nouveau rétréci et il faisait de nombreux coudes. A nouveau, de l'humidité, des gouttes d'eau tombant de la voûte, des trottinements, des bruits furtifs... Doremus pensa « salamandre ». Tout à coup, à un détour, l'ancien rebelle dont la lampe s'était brusquement éteinte se heurta à des barreaux. Ce fut si brusque, que la jeune fille qui le suivait immédiatement (s'étant hâtée d'apporter la lumière de sa lampe) faillit le heurter. Jean, dans la semi-obscurité, se trouva tout proche de Lithaire. Elle se retourna, émue. Le jeune homme la regarda : ce visage tendu qu'éclairait une flamme vacillante, ce corps tendre et souple contre le sien, ce chemin qu'ils venaient de faire hors du temps, dans une cité ensevelie... Ils restèrent l'un contre l'autre ce qui leur sembla être une éternité, elle écartant la flamme pour qu'elle ne le brûle pas, lui tenant, bras tendus, corps raidi, sa hache et sa barre de fer. Il fut saisi d'une envie poignante de l'embrasser. Elle ne s'écartait toujours pas. C'est lui qui le fit, sans mot dire, mais si lentement...

Doremus, depuis un moment, lançait des appels, pour rallumer sa lampe à celle de Lithaire,

140

pour que Jean utilise la barre et la hache afin de faire céder la porte verrouillée à laquelle il venait de se heurter.

Le jeune homme eut tôt fait de forcer la fermeture rouillée de la barrière métallique et la petite escouade reprit sa route. Le souterrain, à nouveau, s'élargissait notablement. Il finit par devenir une salle voûtée sur les parois de laquelle, à différentes hauteurs, s'ouvraient des niches. Les trois hommes et la jeune fille aperçurent dans presque toutes des choses vagues de couleur ivoire, mais oui des ossements sur lesquels jouait par instants la lumière jaunâtre des lampes à huile. Cette fois-ci, Lithaire ne put retenir un cri.

— Recueille-toi plutôt ! gronda Doremus. Ne vois-tu pas qu'il s'agit de dépouilles très anciennes, celles peut-être de saints hommes et femmes qui ont subi le martyre pour l'amour du Christ, pour notre foi ! Quels qu'ils aient été, que nos prières les recommandent à nouveau à la bienveillance de Dieu. S'ils sont à la droite du Seigneur, qu'ils veuillent intercéder en notre faveur auprès du Tout-Puissant.

— Ainsi soit-il, répondirent les aides de l'ancien rebelle.

L'oraison ramena le sang-froid et réconforta les courages. La marche en avant reprit, bientôt interrompue, car, à peu de distance de la crypte, un nouveau problème surgit : une bifurcation. Doremus baissa sa lampe pour tenter de distinguer au sol des indications sur la direction à prendre. Rien de probant. Il saisit alors sa corne de chasse et, par trois fois, émit un appel qui semblait étouffé par la terre. Pourtant — était-ce seulement un écho ? — il y eut comme une réponse. Doremus, après avoir ordonné à ses amis de demeurer sur place, avança de quelque deux cents pas sur la droite. Là, il eut à nouveau recours à la corne de chasse. Plus rien. Il revint à la bifurcation et fit une tentative, cette fois-ci sur la voie de gauche. Il reçut une réponse plus nette. Les explorants s'engagèrent par là, confiants. Quatre à cinq cents pas : la corne interrogea une fois encore l'obscurité. Une sonnerie rauque répondit, beaucoup plus proche.

Au moment même où l'attention de badauds était attirée par les dispositions étranges prises près du « lieu maudit », d'autres événements, non moins insolites, se déroulaient près des bâtiments épiscopaux. Le missus dominicus, que tout le monde connaissait maintenant, était arrivé en compagnie de ce moine pansu qui lui servait d'assistant et de six gardes en armes. Il plaça quatre de ceux-ci à différents points d'accès des édifices, puis se rendit suivi du moine et de deux miliciens à l'entrée principale. Déjà, deux douzaines de passants s'étaient arrêtés pour assister à la scène. Ils purent témoigner que l'envoyé du roi n'était pas attendu, à en juger par le remue-ménage que son apparition déclencha. Bientôt, on vit venir à la porte où il attendait, imperturbable, trois chanoines, puis d'autres avec des serviteurs, enfin Eldoïnus lui-même, visiblement troublé.

L'évêque par intérim se répandit en excuses : le missus dominicus méritait mille fois mieux que cet accueil improvisé... Ah ! s'il avait été prévenu... les honneurs dignes de lui...

Le Saxon interrompit la litanie des regrets : tout était très bien ainsi, pour ce qu'il voulait entreprendre, en tout cas... Puis, tout à coup :

— Qu'on ferme tous les accès ! ordonna-t-il. A l'intérieur, que chacun, y compris chanoines et diacres, reste à l'endroit où il se trouve présentement ! Tout manquement sera sévèrement sanctionné.

Eldoïnus, figé par la stupeur, s'apprêtait à élever une vague protestation (peut-être une simple demande d'explication), mais Erwin se dirigeait déjà vers le bâtiment réservé au logement des chanoines. Devant la porte de la cellule monacale où se trouvait le frère Yves se tenait un milicien de faction ; le médecin qui soignait le blessé était à son chevet. Il dit au Saxon qu'il avait constaté un léger mieux : les blessures se cicatrisaient, la corruption des chairs était arrêtée grâce aux compresses d'aigremoine. Il avait bon espoir.

— Peut-on l'interroger ? demanda Erwin.

— Rien ne s'y oppose, seigneur, répondit le médecin. Mais il n'est guère en mesure de répondre. Il est très affaibli.

— Malgré l'aigremoine ? ponctua le Saxon. Nous sommes donc obligés d'attendre... A propos, faites goûter sa nourriture.

— Il n'est guère en mesure d'en absorber.

— Eh bien, quand il « sera en mesure » !... Qu'on surveille aussi sa boisson, car je suppose qu'il est en mesure de boire...

Erwin entra dans la cellule pour se rendre

compte par lui-même de l'état du blessé. Il lui adressa quelques paroles de réconfort. Le frère Yves, bien qu'incapable de parler, sembla cependant réagir par de légers mouvements des lèvres et des yeux.

L'envoyé du roi se dirigea ensuite vers l'extrémité du bâtiment des chanoines, là où le mystérieux agresseur avait disparu. Il garda un milicien avec lui et ordonna au frère Antoine et à l'autre milicien de patrouiller au hasard dans les édifices épiscopaux.

C'est le moine qui alerta Erwin. Alors qu'il se trouvait près du cellier, d'ailleurs non loin de l'endroit où se tenait son maître, il lui avait semblé entendre un appel. Le Saxon, qui était accouru avec le garde, prêta l'oreille. Il fit un signe à celui-ci qui emboucha une courte trompette de guerre et sonna par trois fois. Rien. Attente. Tous allaient se retirer quand un nouvel appel, plus net, sembla sortir des entrailles de la terre. Le garde répondit encore comme convenu. Le doute n'était plus permis : c'était bien une corne de chasse qui interrogeait. Elle le fit de nouveau. De très près. La trompette lança une réponse éclatante. Puis des coups retentirent, comme un martèlement. Cela venait de l'intérieur du cellier, derrière des futailles. Le frère Antoine et le garde se précipitèrent. Il y avait là une trappe, dissimulée sous de la paille. Le milicien déblaya l'abattant et le souleva. Erwin s'était avancé. Doremus, grave, Lithaire qui, radieuse, baisait le crucifix, Jean le valet qui s'efforçait de ne pas trop laisser éclater sa joie, enfin l'arrière-garde, la fierté faite

144

homme, émergèrent l'un après l'autre juste devant le missus dominicus dont le visage exprimait de la satisfaction.

— C'est bien, très bien, mes enfants, dit-il.

Puis il se tourna vers frère Antoine et, plaisantant pour cacher son soulagement, il lança :

— Dans un cellier !...

— *In vino veritas*, seigneur ! répondit le Pansu avec onction.

CHAPITRE V

Erwin avait fait apporter deux torches pour mieux éclairer le cellier où la lumière du jour ne pénétrait que faiblement. Devant lui se tenait celui qui en avait la charge, le frère Silve. Le missus dominicus avait tenu à l'interroger immédiatement sans témoin. Il se tenait debout, impassible, devant le servant. La flamme des torches jetait des lueurs rougeâtres sur sa tunique et sur le fourreau de son glaive. Le moine, qui était en face de lui, attendait, en proie à une peur envahissante.

Après un long moment, Erwin commença à le questionner : des phrases courtes, des demandes précises énoncées d'une voix calme et froide. Le préposé à l'entretien du cellier dut admettre successivement qu'il connaissait, bien entendu, l'existence d'une trappe, et, non sans hésitation, qu'il l'avait parfois vue ouverte, apercevant ainsi des marches de pierre, un escalier menant à un souterrain.

— Utilisé par qui ?

Le frère Silve atermoyait.

— Bien ! dit le Saxon. Prête serment !

— Inutile, inutile! s'écria le servant qui savait quels terribles châtiments sanctionnaient le parjure et même le soupçon de parjure. C'étaient des hommes que je ne connaissais pas, des hommes de l'extérieur. Je n'en ai aperçu que trois, mais il y en a peut-être eu d'autres. Je ne pouvais tout voir : mon service m'appelait souvent ailleurs, au réfectoire, en cuisine... et aussi dehors, pour les fournitures.

— Quand un ou plusieurs visiteurs repartaient, de la paille était-elle remise sur l'abattant pour dissimuler la trappe?

— Oui, murmura le moine.

— Est-ce toi qui t'en chargeais?...

Le servant approuva de la tête.

— On m'en avait donné l'ordre.

— Donc, même quand tu n'étais pas au cellier ou à proximité, tu pouvais savoir si quelqu'un était arrivé puis reparti.

— En effet!

— Ces visites étaient-elles fréquentes?

— Davantage, les derniers temps.

— Les visiteurs que tu as pu voir, que pourrais-tu en dire?

— C'étaient, je crois, des gens du Sud, à leur allure, à leurs visages... avança le frère Silve.

— Et leur langage?

— Ils ne venaient jamais par deux ou trois. Toujours un seul à la fois.

— Je vois. Et, naturellement, on ne t'a jamais adressé la parole...

Le Saxon fit quelques pas de long en large, l'air absorbé.

— Selon toi, demanda-t-il, jamais personne demeurant à l'intérieur de l'évêché, ou y travaillant, n'a emprunté le souterrain.

— Jamais. Pourquoi quelqu'un l'aurait-il fait ? Pourquoi passer par une trappe quand on peut passer par la porte ?

— Il pouvait y avoir bien des raisons à cela. Mais bon...

Nouveau silence.

— Ces inconnus, ou prétendus tels, chez qui se rendaient-ils ? lança soudainement le Saxon. Et qui t'a ordonné de te taire ?

Le frère Silve parut hésiter. Erwin porta la main à la poignée de son glaive et dit :

— Maintenant, je décide que tu réponds sous serment. Et ne rien dire c'est se parjurer. Préfères-tu parler ou subir la question ? N'oublie pas ! Tu te dois à Dieu et au roi !

— Après tout... lâcha le servant.

Puis, d'une voix à peine audible :

— C'est l'économe : Clodoald.

— Est-ce chez lui que se rendaient les visiteurs de l'ombre ?

— Il me semble.

— Il te semble ou tu es sûr ?

Le moine, qui était à bout de nerfs, saisit le bord d'un fût pour rétablir son équilibre.

— Que puis-je te dire de plus, seigneur ? bredouilla-t-il.

— Bien des choses, mais plus tard, conclut le missus laconiquement.

Il appela un milicien.

— Qu'on place cet homme dans une cellule,

sous bonne garde! ordonna-t-il. Et qu'on fasse venir l'économe sur-le-champ, ici même.

Celui-ci était un homme sanguin, aussi grand qu'Erwin, jeune encore et apparemment solide au physique comme au moral. Après être entré à pas lents dans le cellier, il avait jeté un regard hautain autour de lui et fait face au missus.

— Inutile de te demander, lui dit le Saxon en francique, si tu es au courant de l'existence de cette trappe et des souterrains sur lesquels elle s'ouvre?

— Inutile en effet, repartit l'économe. Ce n'est pas un bien grand secret. Ils sont très anciens. Ils ont dû servir plus d'une fois pour permettre à ceux, clercs ou laïcs, qui demeuraient ici, de fuir les assassins et les pillards qui s'étaient emparés de ces bâtiments. Récemment encore, lors du sac de la cité par les Sarrasins, puis pendant les guerres de toutes sortes ils ont rendu de grands services.

— Existe-t-il plusieurs souterrains?

— Partant de cette trappe, trois. L'un va jusqu'à une maison du « lieu maudit » où demeurait, avant la catastrophe, un vicaire. Le deuxième mène à la résidence des comtes, près de Sainte-Eulalie.

— Donc, actuellement, chez Rothard?

— Tu as dit vrai. Quant au troisième, il est maintenant impraticable. Des éboulements... Il devait conduire à Saint-Paul.

— Près de l'*Auberge des Quatre Cavaliers*?

— Non loin de là. Mais on n'a retrouvé aucun débouché.

149

— Sais-tu que les souterrains ont été utilisés récemment ?

— Comment pourrais-je l'ignorer ? répliqua Clodoald d'un ton tranchant. En particulier depuis ce qui s'est passé ici il y a peu, j'ai demandé à trois ou quatre de ceux qui me renseignent à l'occasion de me rapporter tout ce qu'ils entendraient et verraient en rapport avec le meurtre du maréchal Ebles et l'agression du frère Yves.

— Intéressante initiative... Mais pourquoi passer par des souterrains quand il existe tant d'autres moyens d'entrer ici et d'en sortir ?

— Ce n'est pas à toi, un envoyé du roi, que je pourrais apprendre que le meurtre d'un missionnaire de la chancellerie et l'attentat perpétré contre un autre ne sont pas le fait d'un assassin de hasard. Comment ne pas penser à une machination ? Ne parle-t-on pas ici et là d'un complot dirigé par des Juifs ? Me permettras-tu de retourner ta question ? Pourquoi ne pas utiliser des souterrains existants pour assurer le secret d'informateurs précieux ?

— On peut voir les choses ainsi, dit pensivement Erwin qui reprit : Cependant je me demande pourquoi le frère Silve a fait tant de difficultés pour admettre qu'il était au courant de ces allées et venues discrètes, ayant l'air de les considérer comme une activité coupable, et pourquoi d'ailleurs tu lui as fait jurer le secret.

— Tu n'as pu manquer d'apercevoir que ce servant est un imbécile et un couard. Pouvait-il être question de le mettre dans la confidence ?

Qu'il pense ce qu'il veut, l'essentiel était qu'il se taise.

— En tout cas, il ne m'a pas été difficile de lui faire dire que les visites par souterrain ne datent pas d'hier.

— N'as-tu pas tous les droits et tous les pouvoirs ?

— Pas tous, mais passons, poursuivit le missus. Donc ces visites ?...

— L'alerte, en effet, ne date pas d'hier. Voilà des semaines qu'on recueille des rumeurs alarmantes, vagues peut-être mais fâcheuses. Notre devoir n'était-il pas de nous informer discrètement, je veux dire sans semer inquiétude ni trouble ?

— Tu dis *notre* devoir ?

— Mes investigations résultent de décisions prises par le comte Rothard et par le vicaire de l'évêque, le sage Eldoïnus.

— Nous y reviendrons... Donc des informateurs... depuis quelque temps déjà... Et qui, ici, ne rencontraient que toi ?

— Oui, et toujours avec le même souci.

Erwin se frottait les mains en réfléchissant :

— Et par quel souterrain passaient-ils ?

— Le plus souvent par celui qui relie notre évêché à la résidence du comte, répondit l'économe.

— Faisaient-ils aussi rapport à Rothard ?

— Sans doute.

— Et à Eldoïnus ?

— Cela, c'est moi qui m'en charge.

Le missionnaire du souverain changea alors de ton et lança d'un air sévère :

— Mais dis-moi, Clodoald, qui doit mener une enquête ici, qui a toute autorité pour le faire ?

— Personne d'autre que toi, repartit tranquillement l'économe.

— Pourquoi, alors, n'ai-je été tenu au courant ni par Eldoïnus, ni par Rothard, ni par qui que ce soit, d'initiatives dont j'ai connaissance, ici, maintenant, pour la première fois ?

— Je me proposais de le faire sans tarder...

— On n'a déjà que trop tardé ! Rothard s'est bien gardé de m'en souffler mot lors de notre rencontre.

L'économe esquissa un sourire :

— Étant donné la manière dont elle s'est déroulée, paraît-il, il n'en a guère eu le loisir.

— Tu es donc dans sa confidence ?

— Assez pour savoir que tu lui as retiré le commandement de la milice urbaine. Il a bien été obligé de m'en informer, étant donné ma fonction.

— Et tu as trouvé naturel que j'assume moi-même ce commandement après avoir destitué un comte ? s'étonna Erwin. Moi, un abbé !

— Je n'ai pas à juger les actes ni les intentions d'un missionnaire du maître.

Erwin fit quelques pas puis revint devant Clodoald qui n'avait pas bougé.

— Ces informateurs, reprit le Saxon, depuis le temps qu'ils te font rapport, ne t'ont-ils pas communiqué des choses intéressantes, des choses

152

qu'il était de ton devoir de porter immédiatement à ma connaissance ?

— Ces gens, tu le sais bien, rapportent le plus souvent des fariboles croyant se faire bien voir. Mon devoir était et est encore de démêler ce qui vaut la peine de ce qui ne vaut rien. Les seuls renseignements avérés qu'ils m'ont fournis ne t'auraient rien appris puisqu'il s'agissait d'actions que tu as conduites. Quant aux rumeurs... les éternels mouvements des bandes dans les monts du Nord et du Sud... Quelques hérétiques hallucinés par-ci par-là... La routine en somme.

— Si je comprends bien, tu as donné à la fonction d'économe une singulière extension.

— L'estomac, quoi qu'on dise, n'est pas bien loin de la tête et du cœur.

Le missus dominicus se tut ; il essayait de voir clair dans les sentiments que suscitait en lui cet échange de répliques.

— Nous reprendrons tout cela, dit-il. En attendant, je te demanderai de confier au frère Antoine qui m'assiste, et qui présentement se tient près d'ici, les noms de tes informateurs et le moyen de les joindre.

— Il en sera fait ainsi, acquiesça Clodoald sans se départir de son calme. Dois-je continuer mon enquête ?

— Pour le moment, non !

— Comptes-tu en avertir le comte et le vicaire de l'évêque ?

— J'en jugerai... Ah ! encore une ou deux questions, dit Erwin... Depuis combien de temps diriges-tu l'économat de cet évêché ?

— J'ai été appelé ici par Eldoïnus lui-même, afin de le seconder au moment où il fut décidé qu'il assurerait le remplacement de l'évêque Leidrade.

— D'où venais-tu, quelle fonction était la tienne?

— Je suis bavarois, comme Leidrade précisément. Tu as dû le remarquer à mon accent. L'année dernière, j'étais à Paderborn au moment de la rencontre entre le roi Charles et le nouveau pape Léon III. Je m'occupais, comme ici, d'intendance.

— Comme ici, intendance et information?

— La subsistance des corps uniquement.

— Qu'as-tu dit tout à l'heure sur l'estomac, la tête et le cœur?... murmura le Saxon, qui sembla entrer dans une profonde méditation.

Puis brusquement :

— Jusqu'à nouvel ordre, tu te tiendras à ma disposition, ici, dans ton logis! ordonna le missus dominicus. D'ailleurs, je vais prendre toutes dispositions pour cela.

Erwin se dirigea vers la porte du cellier afin de faire venir le garde qui déjà surveillait le frère Silve.

A cet instant, alors que le Saxon lui tournait le dos, Clodoald saisit une torche qui se trouvait à portée de sa main gauche, se rua vers la trappe qui était restée ouverte, descendit en catastrophe quelques marches et ferma l'abattant sur lui. Le tout s'était déroulé si rapidement et de façon si inattendue qu'Erwin, qui s'était retourné, alerté par le bruit de pas précipités, ne put parvenir à la trappe qu'au moment où elle était refermée. Il saisit l'anneau de l'abattant et tira de toutes ses forces. En vain. Il avait été verrouillé de l'intérieur.

Furieux contre lui-même, Erwin fit venir immédiatement près de lui le frère Antoine et Doremus qui attendaient non loin, avec Lithaire, le valet Jean et les trois gardes qui avaient participé directement à l'« expédition du souterrain », que leur maître eût fini d'interroger l'économe. Il exposa brièvement à ses deux assistants ce qui venait de se passer

— On pourrait, dit-il, faire défoncer cette trappe. Trop long. La canaille a pris de l'avance dans un souterrain. Alors voici : toi, frère Antoine, tu te rends tout de suite au débouché du « lieu maudit ». Place un des gardes qui se trouve sur place en surveillance à cet endroit. Prends toute initiative nécessaire ! Va !

Se tournant vers Doremus, le Saxon ordonna :

— Fais enfermer le servant du cellier et qu'on le garde ! Que Lithaire aille rassurer son père et son frère ! Qu'ils continuent leur surveillance ! Elle peut leur parler des souterrains mais sans détails, et surtout pas un mot sur ce singulier économe. Toi, va aux écuries ! Sur des montures que vous y aurez empruntées, Jean, les trois gardes qui sont ici et toi, rendez-vous au galop à la résidence des comtes. Peut-être aurez-vous la chance de mettre la main sur ce Clodoald ou, au moins, de trouver sa trace, si tant est qu'il ait pris le souterrain qui y conduit.

— Si tant est qu'il y en ait un, ponctua l'ancien rebelle en s'éloignant.

— Je te rejoindrai là-bas de toute façon, lui lança Erwin. Fais vite !

Eldoïnus attendait dans la salle de réception de l'évêché, assis non sur le siège de l'évêque mais sur un tabouret, à côté d'un chanoine avec lequel il conversait à voix basse, que le missus dominicus vienne lui signifier quelles suites il entendait donner aux péripéties présentes. Quand il le vit entrer d'un pas résolu avec un visage exprimant son irritation, il demanda au chanoine de quitter la pièce ; il se leva et s'avança vers Erwin.

— Est-ce toi, attaqua celui-ci sans préambule, qui a réclamé Clodoald pour diriger l'économat ?

— Il est bavarois... commença Eldoïnus.

— Je sais, comme Leidrade.

— ... Ce fut, je crois, la décision de l'évêque. Il était déjà en place quand le roi a appelé Leidrade à nouveau auprès de lui pour le procès de Félix d'Urgel et que j'ai été désigné pour le remplacer temporairement.

— Connais-tu bien Clodoald ?

— C'est un homme de grandes capacités, intelligence et connaissances, énergique, rigoureux.

— C'est beaucoup, ne crois-tu pas, pour un simple économe, s'étonna Erwin.

— Pour un évêché comme celui-ci, étendu, peuplé, avec de nombreux monastères, peut-être pas. Il y a beaucoup à entreprendre pour restaurer églises, abbayes et habitations. Par Lyon passent de nombreuses marchandises venant de toutes parts, y compris des manuscrits rares et des

156

ouvrages provenant de cent scriptoria. Le savoir n'est pas de trop pour un économe...

— Ce n'est pas ce que j'avais en tête, interrompit le Saxon qui se tut un instant, méditatif.

Puis il demanda :

— As-tu confié à Clodoald une tâche d'information ?

— C'est-à-dire... Tu avais toi-même souligné la nécessité de se renseigner après... oui, après tout cela... Donc, j'ai demandé, en effet, à cet économe... Je savais qu'il disposait déjà d'infor mateurs.

— Et Clodoald, t'a-t-il dit comment il se renseignait ?

— Je ne m'en suis guère préoccupé, confessa Eldoïnus. Il se connaissait assez en ce domaine.

— A propos, je suppose que tu sais l'existence de souterrains qui conduisent depuis cet évêché jusqu'en différents endroits de la cité.

— Je sais qu'ils ont rendu jadis de grands services au moment des désordres et des guerres. Sont-ils encore utilisables aujourd'hui ? Peut-être...

— As-tu rencontré certains des informateurs de ton économe ? insista le Saxon.

— A quoi bon ? Clodoald m'a tenu au courant.

— Intéressant ?

— Rien que tu ne saches déjà : ces accusations contre les Juifs, l'agitation des bandes alentour, des querelles de marchands en particulier à propos de la traite des esclaves, des histoires comme celle de ces « tempestaires »...

— Qu'est-ce encore que cela ? demanda le missus.

— Des fous ! Ils prétendent que les tempêtes sont provoquées par la volonté d'hommes puissants et pervers, les « tempestaires », qui habitent un pays appelé Magonie. Ces hommes disposeraient de bateaux naviguant au-dessus des nuages et sur lesquels ils transporteraient, pour se les approprier, les récoltes détruites par les orages.

— Ceux qui croient ou répandent de telles fables sont-ils dangereux ? Complotent-ils ?

— Pas à ma connaissance. Des fous, te dis-je, assura Eldoïnus.

— Cela ne manque pas par le monde. Cependant, peut-être ces « tempestaires » de Magonie sur leurs navires célestes font-ils aussi moisson d'informations pernicieuses et les communiquent-ils à leurs sectateurs sur cette terre ?

A ce moment un moine fit irruption dans la salle, visiblement très ému, et s'adressa au missionnaire du roi :

— Mes plus humbles excuses, mon père, mais le frère Antoine a exigé, sous la menace, que je te communique un message de toute urgence et...

— Ce message ? coupa Erwin.

— Il a une communication de la plus haute importance à te faire et qui ne saurait attendre. Seul à seul, a-t-il précisé.

— Fais-le entrer ! ordonna l'abbé sans hésiter. Et toi, Eldoïnus, veuille nous laisser !

Le frère Antoine, qui devait écouter par la porte entrebâillée, se précipita dans la pièce alors qu'Eldoïnus et le moine étaient encore en train de

158

la quitter. Il s'approcha de son maître, puis lui dit à voix basse :

— Les rumeurs les plus folles courent dans la ville. Le comte Rothard et sa suite auraient quitté Lyon sur des *pontos* !

— Des rumeurs ?

— Le Rouvre l'a entendu dire aussi et de plusieurs côtés. Des témoins, paraît-il. Les badauds ont déserté le « lieu maudit » et aussi les alentours de l'évêché. Une foule de gens converge actuellement — cela c'est certain — vers la résidence comtale et le quartier Sainte-Eulalie.

Erwin réagit avec sa détermination accoutumée.

— Laisse un seul milicien sur le « lieu maudit » ! ordonna-t-il ; on ne sait jamais. Rassemble immédiatement tous les autres. Je serai à la porte principale de cet évêché. Hâte-toi !

C'est avec une escorte de sept gardes que l'abbé saxon et le frère Antoine gagnèrent, au galop de leurs chevaux, la résidence du comte aux abords de laquelle se pressait en effet une foule bruyante qui avait même envahi la vaste cour d'entrée. Quand le missus dominicus arriva, les conversations, les altercations et les cris cessèrent soudainement et il se fit un grand silence. Hommes, femmes et enfants s'écartèrent de manière à ouvrir un passage, étroit, où s'engagèrent lentement les cavaliers après que le Saxon eut ordonné aux miliciens de laisser les glaives au fourreau, de ne manifester ni agressivité, ni peur. Il s'était rendu compte à l'allure, à l'attitude, au regard de ceux qui étaient assemblés là que tous

159

étaient tendus, à la limite de l'hostilité, en tout cas inquiets. La moindre erreur, la moindre maladresse et c'était l'irréparable.

Erwin et ceux de son escorte descendirent tranquillement de leurs montures. L'abbé avisa un homme de haute stature et lui dit :

— Que ceux qui se tiennent là prennent soin de ces chevaux ! Je compte sur toi.

Il s'avança ensuite vers la résidence sur les marches de laquelle l'attendaient Doremus, le valet Jean et trois gardes qui avaient pris des positions de défense ainsi qu'un homme impressionnant de force que le frère Antoine reconnut immédiatement : le forgeron Benoît.

— Je ne te cacherai pas, maître, que je suis très soulagé de te voir arriver, et avec ce renfort, dit Doremus. Il s'est passé ici des choses graves et d'autre part cela pourrait tourner mal d'un instant à l'autre. Cet homme qui est ici, et qui s'est dit tout dévoué à frère Antoine, donc à toi, seigneur, te dira pourquoi si tu le souhaites.

— Je connais cet homme, le forgeron Benoît, confirma le Pansu.

— Parle sans crainte ! conseilla Erwin à l'homme qui s'était approché, son bonnet à la main, et s'était incliné.

Le Saxon ajouta avec un geste de bienveillance :

— On a dû te dire que je n'aime que vérité et justice.

— Tu as appris sans nul doute, seigneur, commença le forgeron, que le comte Rothard et

160

une dizaine de ses proches compagnons et serviteurs ont pris la fuite.

Il marqua une pause et reprit avec une hésitation dans la voix :

— Certes, ce comte, d'ailleurs arrivé récemment, n'est pas aimé. En quelques mois, il s'est fait détester. Il pressure ses colons et esclaves, même les paysans libres, il ne fait rien pour le comté, ni pour la ville, il est débauché et s'en prend même aux vierges, il est cruel...

Son départ ou sa fuite devrait donc les réjouir tous ici, nota Erwin.

— C'est-à-dire...

— Parle sans crainte, Benoît ! intervint frère Antoine. Tu n'as rien à redouter, je te le jure.

— Eh bien, voilà ! Puisque je dois tout te dire, maître, les gens trouvent que, depuis l'arrivée de la mission royale ici, il s'est produit beaucoup de choses graves, inquiétantes... : un assassinat, des attentats, des engagements meurtriers, des recherches que certains disent sacrilèges dans les entrailles de la terre à partir d'un lieu maudit, un évêché sous surveillance, des va-et-vient bizarres, sans parler de la reprise en main — comment je dirai ? — musclée et du renforcement de la milice. Tu sais bien, seigneur, comment sont les gens : crédules, craintifs, superstitieux...

— Et que croient-ils donc ? demanda le Saxon.

— Le plus souvent ce que de grandes gueules ou des sournois, des vicieux leur donnent à croire, si je peux me permettre, répondit le forgeron. Oui parce qu'il y en a certainement quelques-uns qui soufflent sur les braises : par vantardise, sottise et puis, je l'ai dit, par malignité... Il est question d'hommes tout-puissants voguant sur les nuages, de magiciens diaboliques, de vengeurs (de quoi ou de qui, hein?) et même d'une certaine bande secrète appelée la Salamandre. Des rumeurs, mais persistantes, des sottises, mais qui trouvent des oreilles.

— Ne peuvent-ils comprendre qu'une mission envoyée par un roi juste et bon est venue pour les protéger contre les auteurs de méfaits, y compris contre un comte cruel, débauché et indigne?

— Oh! seigneur, je sais combien généreux, grand et juste est notre roi Charles — que Dieu lui donne mille années de vie! Mais il n'est jamais venu ici. Ils ne connaissent que sa renommée. Il est loin. Souvent le malheur et la misère sont aux portes, comme les Lyonnais l'ont constaté trop souvent. Cette ville a tant souffert et il n'y a pas si longtemps : les guerres de toutes sortes, les invasions, pillages, meurtres, incendies... Tu as vu, maître, dans quel état se trouvent encore nos édifices, les églises, les monastères et combien de nos maisons... Tout ce qui aujourd'hui est trouble, violent, mystérieux fait craindre à tous des affrontements et les conséquences terribles de ces affrontements. Et alors, je dois te redire, même si je risque de t'irriter, que ce qui s'est passé depuis ton arrivée... Puis, ce départ soudain du comte Rothard... Ça leur paraît grave, et dangereux...

— Et ce que tu n'oses pas dire, ajouta Erwin, c'est qu'ils se demandent de quel côté est ce qui est juste et qui gagnera?

162

— Non, seigneur. Pas cela ! Ils ont peur, ça oui. Mais ils ne peuvent être du côté de Rothard.

— Pour autant, ils ne sont pas encore du mien. Mais cela ne saurait tarder, estima le Saxon qui se tourna alors vers Doremus avec un regard interrogatif.

— Et concernant cet économe, ce Clodoald ? demanda-t-il.

— Rien dans l'état actuel de nos recherches. Mais il est vrai que nous n'avons pas pu les conduire aussi loin que nous l'aurions souhaité en raison de ce qui s'est produit par ici... Cette foule, cette effervescence, ce trouble... Enfin voici : ce n'est pas sans mal, après notre arrivée à cette résidence, que nous avons fini par apprendre d'un palefrenier qu'il existait une trappe dans une grange située juste derrière les écuries. Mais, de toute évidence, notre homme n'est pas sorti par là. Quand nous sommes arrivés, l'abattant de cette trappe était fermé et recouvert de litière. Je vois mal le fuyard perdre des instants précieux à remettre en place, soigneusement, de la paille. Et d'ailleurs, pour quelle raison ?

— En tout cas, le souterrain existe, constata Frère Antoine.

— Oui, et j'ai demandé à Jean, accompagné d'un garde, de l'explorer. En suivant sa prolongation, ils ont abouti sans encombre à un entrepôt situé non loin de l'embarcadère de Sainte-Eulalie. Mais Jean va t'expliquer lui-même, si tu le veux, maître, ce qu'il y a découvert.

— Je t'écoute, dit Erwin se tournant vers le valet.

— J'ai interrogé immédiatement des mariniers et des commerçants qui se trouvaient près de l'embarcadère, dit ce dernier. Tous m'ont confirmé les rumeurs qui, à ce que j'ai appris, couraient déjà dans tout Lyon : le comte Rothard a fui. Donc, vers la fin de la matinée sont arrivés à l'embarcadère une dizaine d'hommes à cheval, avec un chariot chargé de deux ou trois coffres. Des hommes d'importance, richement vêtus, et aussi des serviteurs. Avec eux se trouvaient également deux dames, couvertes de bijoux... Tous, les chevaux et les coffres avec, ont embarqué sur deux grands *pontos* qui appartiennent aux Syri, les marchands d'esclaves. Ceux-ci se sont embarqués aussi. Sitôt larguées les amarres, les bateaux ont pris le fil du courant. Avec les pluies des jours derniers, il est rapide et fort. Donc droit vers le Rhône et le diable sait où... Eh bien, seigneur, tous ceux qui ont vu ces hommes m'ont juré que parmi eux il y avait le comte Rothard.

— Voilà qui s'accorde avec ce que nous avons constaté ici, dans cette résidence, enchaîna Doremus. Un spectacle tragiquement édifiant. Mais tu vas t'en rendre compte, seigneur, par toi-même.

— Vraiment tragique et incontestablement édifiant ? demanda le Saxon.

— Oui, maître, et sans ambiguïté, répondit l'ancien rebelle. Donc...

— Un instant, coupa le missionnaire du roi qui se tourna vers la foule et demeura un long moment immobile et silencieux.

Tous les regards étaient maintenant dirigés vers lui : au centre de la cour ceux des habitants de la

164

ville qui avaient afflué vers la résidence, un peu plus à l'écart sur les seuils de leurs échoppes et ateliers ceux des artisans (esclaves pour beaucoup) ferronniers, menuisiers et charpentiers, fileuses et tisserands, briquetiers et maçons, le forgeron, le maréchal-ferrant, à part les palefreniers, les jardiniers, et ceux des domestiques qui s'étaient groupés à un des angles de la façade.

S'exprimant en dialecte, le missus dominicus dit d'une voix posée et qui portait loin :

Eh bien, nous allons voir ce qui est arrivé là-dedans. Que deux d'entre vous, connus pour leur sagesse et leur honnêteté, viennent avec moi, missionnaire du roi Charles, à l'intérieur de cette résidence pour découvrir en même temps que moi en quel état un comte félon l'a laissée en fuyant et comprendre ce qui a bien pu s'y passer !

Un long brouhaha parcourut l'assistance qui finit par pousser au premier rang deux hommes plutôt âgés qui se tinrent fièrement et respectueusement devant le Saxon.

— Est-ce là ceux que vous avez choisis ? demanda Erwin.

Un oui retentissant lui répondit.

— Nommez-vous ! dit-il aux deux élus.

— Je suis Bertier le meunier, homme libre, annonça le premier.

— Je suis, moi, Sasson, marchand de tissus, homme libre, dit le second.

Le Saxon se tourna vers Jean le valet :

— Tu vas demeurer ici avec les gardes, lui ordonna-t-il. Qui sait si, dans cette foule, ne se trouvent pas des hommes qui, par malignité ou sottise, pourraient, par leur attitude ou leurs paroles, provoquer des troubles graves ? Veille donc et préviens-nous immédiatement à la moindre alerte !

Puis, à l'intention de Doremus :

— Montre-nous le chemin ! lui dit-il. Toi, frère Antoine, et puis toi, Benoît le forgeron, toi, Sasson le drapier, toi, Bertier le meunier, suivez-moi ! Toi, garde, aussi !

Sous la conduite du missus dominicus et guidé par l'ancien rebelle, un petit cortège pénétra dans la résidence comtale.

Après le vestibule, il arriva à une vaste salle de réception encore ornée de branchages et de fleurs. Un seul domestique s'affairait à nettoyer le sol jonché, par endroits, des reliefs racornis d'un banquet et souillé par des taches rougeâtres, du vin sans doute. Il tourna la tête vers les visiteurs puis se remit démonstrativement au travail.

Une antichambre, rigoureusement vide, précédait les appartements personnels du comte. Ils y furent accueillis par un très vieux serviteur qui, au comble de la frayeur, ne put que bredouiller des salutations interminables.

La chambre de Rothard était demeurée dans un désordre à première vue incompréhensible. Elle ne comportait pas moins de trois lits dont les draps et les couvertures étaient souillés et déchirés. Sur les tables étaient entassés des aiguières de cuivre de facture sarrasine, des plats et assiettes d'argent, des flacons et des gobelets en verre teinté d'une valeur inestimable à côté de poteries ornées, de vases imités de l'antique et

166

même de cruches bretonnes en bois ouvragé. Sur deux toilettes ornées de miroirs étaient disposés onguents, poudres et fioles de parfums, peignes et brosses ainsi que, dans des coffrets, des broches, des agrafes et autres accessoires de la parure féminine. A terre, à côté d'un lit, le moine chauve aperçut deux perruques, ce qui amena sur ses lèvres un léger sourire. Quant au meunier, au forgeron et au drapier, ils écarquillaient les yeux devant ce fouillis de richesses.

Erwin fit ouvrir devant eux deux coffres à vêtements. Ils purent découvrir dans le premier une tunique à l'italienne ample et brodée, des blouses de soie, des pantalons bouffants venant certainement d'Aquitaine, des bottes de cuir souple d'un travail andalou et tout un attirail apparemment plus féminin que masculin. Dans l'autre subsistaient quelques tuniques pour femmes, deux manteaux, l'un de fourrure, l'autre de laine fine rehaussée de soie, ainsi qu'une lourde ceinture ornée de pierreries. A côté de ce coffre, par terre, une cassette en bois précieux avait été éventrée par celui qui, sans nul doute, voulait s'emparer des bijoux qu'elle contenait.

— Regardez, dit Erwin à ceux qui l'accompagnaient, et vous pourrez témoigner de la manière dont vivait celui qui prétendait gouverner ce comté au nom du roi.

Mais déjà Doremus l'entraînait vers une tenture qu'il souleva. A terre, en travers de la porte qu'elle dissimulait, tous aperçurent le corps d'un homme qui gisait dans une grande flaque de sang séché. Il avait été égorgé. Par la porte qui était ouverte ils purent voir un coffre renforcé par des lames de fer. Le couvercle en était levé.

— Le trésor, murmura le forgeron avec une sorte de respect.

— Envolé! expliqua Doremus. Je suis allé voir. Vide!

— Cet homme-là a-t-il essayé d'empêcher qu'on le vole? murmura le drapier.

— Je croirais plutôt qu'il a été surpris au moment où il voulait se servir, avança frère Antoine.

— Qui est-il? demanda le Saxon.

— Un clerc qui porte la tonsure. On en saura plus en interrogeant les vivants, précisa l'ancien rebelle.

Au fond de la chambre, une autre porte, entrebâillée, donnait sur un large corridor. Deux autres cadavres gisaient sur le dallage, ceux d'hommes d'armes à en juger par leurs tuniques et par les fourreaux, d'ailleurs vides, qu'ils portaient au flanc. L'un d'eux avait au dos de nombreuses plaies. Doremus retourna complètement sur le ventre l'autre corps qui était couché sur le côté et montra des blessures analogues à celles qui avaient donné la mort au premier.

— Manifestement poignardés par surprise, expliqua-t-il.

— Les assassins devaient être au moins deux et ont dû frapper en même temps, estima frère Antoine.

— C'est un vrai coupe-gorge, ici, murmura le drapier en frémissant.

Le corridor conduisait à une lourde porte qui

168

donnait sur un scriptorium flanqué lui-même d'une salle avec des rayonnages et qui servait à la fois de bibliothèque et d'archives. Cinq clercs se trouvaient devant leurs écritoires à leurs emplacements de travail dans une expectative craintive. Le plus âgé descendit de son tabouret et s'avança en claudiquant vers le missionnaire du souverain, devant lequel il s'inclina. Erwin le releva. Le clerc jeta un regard sur ceux qui accompagnaient le Saxon et dit, en latin :

— Puis-je parler, seigneur, devant ceux-là ?

— Oui, répondit l'abbé, car je désire qu'ils voient, qu'ils entendent, afin qu'ils puissent témoigner. Continue de t'exprimer en latin, le frère Antoine en traduira l'essentiel à leur intention.

— Il en sera fait comme tu le souhaites, mon père. Je me nomme Gastwald. C'est moi qui dirige ce bureau où se trouve tout ce qui a trait à l'administration du comté.

— Je vois, ponctua Erwin. Et je me réjouis que, par Dieu, vous soyez encore de ce monde.

Le vicaire désigna l'épaisse porte pourvue d'un solide verrou.

— Voici, dit-il, le seul passage entre les appartements du comte et l'aile du bâtiment qui nous est réservée...

Il montra un couloir qui s'ouvrait au fond du scriptorium.

— ... non seulement ce lieu de travail, mais aussi nos cellules, notre réfectoire et une petite chapelle. Lors des horribles événements qui se sont déroulés ici ce matin, nous avons pu nous retrancher ici.

— Avec une bonne hache, qui ne viendrait à bout de cette porte ? grommela Benoît le forgeron.

— A-t-on seulement essayé de la forcer ? demanda en écho le meunier.

Le vicaire, qui avait entendu ce bref échange de propos, expliqua, toujours en latin :

— En vérité, il n'y a rien ici de précieux sinon les manuscrits dont certains sont ornés.

Il en préleva un sur un rayonnage et le montra avec fierté aux hommes libres qui accompagnaient le missus et qui regardèrent avec un infini respect les pages recouvertes de mystère, de savoir et de foi. L'ayant replacé, il reprit, non sans un certain dédain :

— Encore de telles œuvres n'ont-elles de vraie valeur que pour des hommes comme toi, mon père, ou plus modestement moi-même et ceux qui sont ici, lesquels, eux, connaissent le prix de la vie spirituelle qu'elles recèlent.

— Ne crois pas cela ! répondit Erwin. Ceux-ci, dit-il en désignant les hommes qui l'accompagnaient, ne sauraient en prendre connaissance il est vrai, mais ils savent ce qu'elles représentent et la puissance qu'elles contiennent... Et puis beaucoup d'autres se contenteraient de leur valeur en or. Même pour un mécréant maudit, même pour un ignorant, elles constituent une proie désirable.

— N'y a-t-il pas, d'autre part, ici, des tablettes de comptes susceptibles de révéler bien des turpitudes de ce Rothard ? demanda le frère Antoine.

Le doyen du scriptorium le mena jusqu'à une cache.

— Qui les aurait trouvées là ? dit-il.

— Ceux qui vous auraient torturés, répliqua l'assistant d'Erwin. Et pas seulement pour cela. N'êtes-vous pas les témoins gênants de ce qui a pu se produire par ici ?

— Porte close, nous n'avons guère que le témoignage de nos oreilles.

— Vous en savez tous bien plus que vous ne le pensez, intervint le Saxon. A commencer par ceci : à quel moment se sont produits les désordres sanglants que nous avons constatés ?

— Vers la fin de la matinée, mon père, vers la cinquième heure. Mais le vacarme n'avait guère cessé de la nuit. D'abord, a-t-il semblé, des chants, des cris et des rires, puis, ce matin, des cavalcades, des commandements, d'autres cris, mais non plus de liesse. D'après ce que nous ont dit des serviteurs, ceux qui nous apportent la collation du matin — ils passent par une entrée qui relie notre réfectoire aux communs —, le comte avait commandé pour hier soir un banquet. Nous ne savons que trop, hélas ! en quelle bacchanale de tels repas dégénèrent ici. Il nous arrive souvent de nous abîmer dans la prière pour en oublier les rumeurs, ignobles, qui parviennent jusqu'en ce lieu. Mais ce qui s'est produit ce matin, je ne saurais te le dire.

— Cela s'est donc passé après que les serviteurs vous eurent apporté cette collation du matin ?

— Oui, mon père, bien après ! En fait, très peu

171

de temps avant celle de la mi-journée. Mais nous n'avons plus revu les domestiques. Elle ne nous a donc pas été servie.

L'abbé saxon se tourna vers ceux qui l'accompagnaient et qui manifestaient une vive indignation au récit du vieux clerc que le frère Antoine leur avait traduit à mesure.

— Peut-être, leur dit-il, ne sommes-nous pas encore parvenus au bout de la honte.

Puis, à l'intention de Gastwald :

— Où peut se trouver le majordome de cette résidence ? demanda-t-il.

— Lequel ? L'actuel ou celui d'avant ?

— L'un et l'autre.

— L'actuel, un certain Nodon, a dû vider les lieux avec son maître. La maison jusqu'à l'arrivée du comte Rothard était dirigée par un vicaire appelé Ignace. Le comte a prétendu qu'il avait commis des malversations. Pourtant, depuis des années qu'il était en fonction, personne n'avait jamais rien eu à lui reprocher. S'il a été remplacé par Nodon, chacun ici sait bien pourquoi.

— Oui, certes, murmura Sasson le drapier.

— Le nouveau comte avait amené avec lui trois ou quatre personnages... plus quelques affidés...

Avec une moue de mépris, le clerc Gastwald laissa son appréciation en suspens.

— Qu'est devenu Ignace, l'ancien majordome ? s'inquiéta Erwin.

— Tu le trouveras, s'il vit encore, dans un cul-de-basse-fosse, en la compagnie de serviteurs soupçonnés d'être trop honnêtes et de rats, répondit Gastwald. Quand tu le souhaiteras, le frère Ruffin — c'est celui qui se tient là — te conduira jusqu'à cette... geôle... si on peut l'appeler ainsi. On peut y parvenir en évitant de passer de nouveau par l'entrée principale.

— Bien ! dit Erwin. Que ce frère nous y conduise sur-le-champ et qu'un autre de tes clercs aille ordonner aux geôliers de nous rejoindre à l'entrée de cette prison !

Le Saxon et son escorte, guidés par Ruffin, parvinrent jusqu'à un escalier situé derrière la partie sud des communs et devant lequel attendaient déjà deux geôliers porteurs de torches. Ils descendirent jusqu'à une cavité aux murs suintant d'humidité tandis que sur le sol de terre battue parcouru par des rigoles d'eau trottaient çà et là des rats qui poussaient des cris aigus. Sur cette cavité donnaient cinq cachots fermés par des portes munies de guichet. Le missionnaire du roi ordonna aux geôliers de les ouvrir.

Tous furent alors assaillis par une odeur épouvantable de moisi, d'excréments, de pourriture. Quand les torches éclairèrent l'intérieur de ces ergastules, le missus et ceux qui l'accompagnaient purent apercevoir des sortes d'êtres qui se tenaient assis, voire allongés malgré le ruissellement des eaux, car la voûte des cachots était si basse qu'il leur était impossible de se tenir debout. Tous étaient d'une maigreur effrayante, repoussants de saleté, marqués de nombreuses plaies et certainement couverts de vermine.

— Est-ce Dieu possible ! murmura le drapier. Quand on fit sortir les prisonniers de ces pourrissoirs, ils ne purent se dresser sur leurs jambes. Ils demeuraient recroquevillés, accroupis ou rampant; ils mettaient leurs mains devant leurs yeux quand ils en avaient encore la force car, ayant vécu sans cesse dans l'obscurité, ils ne pouvaient plus supporter la lumière des torches.

— Quelle honte! jeta le forgeron Benoît qui serrait les poings, saisi par la colère.

Onze créatures avaient survécu dans cet enfer. L'ancien majordome était seul dans un cachot. Dans un état physique non moins lamentable, il se révéla incapable quand il en fut extrait de se tenir debout. De sa bouche ne sortirent que des paroles incohérentes.

— Est-ce là le majordome qui venait parfois dans mon échoppe! s'écria le drapier d'une voix qui exprimait compassion et frayeur. Mon Dieu, mon Dieu!...

L'abbé ordonna au frère Ruffin de faire venir une vingtaine de serviteurs esclaves.

— Qu'on aménage immédiatement un lieu pour recevoir ces malheureux! dit-il. Qu'ils y soient transportés au plus vite! Qu'on prenne soin d'eux, qu'on leur procure des vêtements propres, et qu'on les nourrisse. Et sans tarder!

Doremus, qui connaissait bien son maître, reconnut à cette voix calme, à ce ton froid qu'il était entré dans une colère monumentale.

— Combien de condamnés, déjà, sont morts là-dedans? demanda Erwin.

Comme les gardiens hésitaient à répondre, il ajouta avec un visage toujours aussi dangereusement inexpressif :

174

— Si vous ne répondez pas à l'instant, je vous fais écorcher vifs, sous mes yeux, ici même.

— Sept, finit par avouer l'un des gardiens qui tremblait de tous ses membres. C'étaient les ordres du comte... laisser les cadavres comme ça dans les cachots pour...

— Eh bien? s'impatienta le missus.

— ... pour montrer aux autres... ce qui les attendait... Mais nous, je dis, nous étions contre, bien sûr... Mais des ordres du comte Rothard...

— Et vous avez pu obéir à de tels ordres! s'indigna Bertier le meunier.

— Et même en rajouter sans doute! compléta le forgeron.

— Et comme nourriture? demanda Erwin.

— Toujours les ordres du comte : une tranche de pain noir et de l'eau...

— Apparemment ils n'en manquaient pas, ponctua Benoît en montrant l'eau qui ruisselait sur le sol.

— Mais il nous arrivait souvent, n'est-ce pas? ajouta précipitamment l'un des gardiens en prenant son collègue à témoin, de leur apporter une bonne écuelle de soupe.

— C'est sans doute ce qui les a rendus si gras, ne put s'empêcher de dire Doremus qui continuait de lire de la fureur dans les yeux de son maître.

— Ah! si ça ne tenait qu'à moi... gronda le forgeron.

— Que ferais-tu? interrogea Erwin.

— Je leur ferais manger, à ces deux-là, de cette soupe-là!

— C'est exactement ce que je vais faire, approuva le Saxon.

S'adressant aux gardiens, il ordonna, montrant un cachot dont les moribonds venaient d'être extraits :

— Entrez là-dedans !

L'un des geôliers osa une protestation.

— Garde, tire ton glaive ! commanda le missus. S'il dit encore un mot, égorge-le !

Les deux hommes alors se courbèrent et entrèrent en gémissant dans le cachot infect dont la porte fut refermée.

— Qu'ils y restent jusqu'à ce que j'aie décidé de leur sort, mais traités comme on doit traiter des prisonniers, ordonna le représentant du roi.

Au sortir de ce cloaque, Erwin et tous ceux qui l'avaient accompagné retrouvèrent avec soulagement l'air et la lumière du printemps. Déjà le frère Ruffin apparaissait : il amenait avec lui des esclaves qui étaient employés ordinairement aux travaux des champs. Obéissant aux ordres du frère Antoine, ils descendirent vers la prison et on les vit bientôt réapparaître, gravissant péniblement les escaliers en soutenant, portant, transportant les prisonniers dont le grand jour révéla, plus encore que ne l'avait fait la lumière des torches, la maigreur, les plaies, la saleté, l'hébétude... moribonds pitoyables.

Ce cortège d'apocalypse progressa lentement jusqu'à la cour où la foule continuait à patienter. Quand elle le vit s'approcher, ce fut une stupeur, un énorme silence, puis une rumeur d'indignation qui s'enfla à mesure qu'il progressait par un couloir que laissait cette foule en se fendant devant lui. Les rescapés de l'enfer avancèrent ainsi entre des rangées d'hommes et de femmes qui doutaient qu'on pût amener des créatures de Dieu à cette extrémité d'avilissement et d'horreur. Cette progression douloureuse dura interminablement jusqu'à une cour où des serviteurs s'activaient à préparer des cuves d'eau pour laver les prisonniers et aussi les esclaves qui les avaient aidés à parvenir jusque-là, tandis que d'autres arrivaient avec des décoctions de plantes pour nettoyer les plaies, des onguents pour décourager la vermine et, d'autre part, de la nourriture ainsi que des vêtements.

Erwin, pour sa part, avait gagné le haut des marches, devant la résidence, où se tenaient toujours Jean le valet et les gardes qui n'avaient pas eu à intervenir. Son regard parcourut la foule attentive, puis il dit :

— Benoît le forgeron, Bertier le meunier, Sasson le drapier sont entrés ici avec moi. Puis ils sont descendus jusqu'à ce pourrissoir où un comte indigne enfermait des hommes dévoués et justes. Vous les avez vus passer entre vous. Ceux-là sont encore vivants, à peine vivants. Sept sont morts sans le secours de Dieu dans la plus extrême misère. Moi, Erwin, missus dominicus du roi Charles, je ne vous en dirai pas davantage. Benoît, Bertier, Sasson, ont vu, ont entendu. Les voici. Interrogez-les ! Qu'ils témoignent !... Hommes et femmes de Lyon, vous souhaitez ordre, justice et paix. Ceux qui sèment désordre, injustice et guerre seront démasqués, poursuivis, châtiés, au nom du roi, souverain équitable et puissant... Et maintenant, tous ensemble, à la gloire de Dieu, récitons la prière des chrétiens.

L'assemblée, d'une seule voix, entonna le Notre Père.

Quand Erwin et ses assistants arrivèrent à leur quartier général, ils y trouvèrent Timothée, impatient à la fois d'apprendre ce qui venait de se passer et qui remplissait Lyon de rumeurs et de communiquer les informations qu'il avait recueillies à Mâcon ainsi qu'au relais de Belleville. Doremus le mit au courant des derniers événements qui révélaient un complot plus grave que ce que les premières investigations avaient pu laisser craindre.

— Ce que je rapporte moi-même, dit le Grec, est aussi très inquiétant.

Mentionnant alors les réponses qu'il avait obtenues de l'évêque Clément et de son bibliothécaire, il souligna :

— Le scriptorium de Saint-Martin-d'Ainay a donc bien envoyé à Mâcon une *Vie des douze Césars*, mais complète. Donc la lettre dont frère Antoine a surpris le contenu et qui faisait état d'un travail inachevé s'appliquait à tout autre chose qu'un manuscrit. Pourquoi pas à l'assassinat d'*un seul* envoyé de la chancellerie royale, Ebles, le frère Yves ayant miraculeusement échappé à la mort ? Quoi qu'il en soit, l'abbé Ambroise a menti et...

Le Goupil ne put achever. Le Saxon qui l'écoutait, assis près de lui, s'était dressé :

— Ah ! celui-là, dit-il d'une voix qu'il s'efforçait de maîtriser, celui-là au moins j'espère qu'il ne va pas nous échapper. Frère Antoine, pars immédiatement pour l'abbaye Saint-Martin avec des gardes, assure-toi de la personne de cet Ambroise et conduis-le jusqu'ici !

Le Pansu s'était levé et, après avoir vérifié qu'il portait bien à la ceinture ses redoutables couteaux, se dirigeait vers la porte pour exécuter les ordres de son maître, quand celui-ci, d'un geste, l'arrêta :

— Un instant, lui dit-il, hâtons-nous lentement !

Après avoir réfléchi un long moment, il reprit :

— Je crois qu'il y a mieux à faire. Pars pour l'île d'Ainay comme je te l'ai dit ! Exige de rencontrer l'abbé Ambroise ! Tu lui diras que je me rendrai avant peu en son monastère pour une entrevue des plus importantes. Qu'il se tienne donc à ma disposition. Tu as bien entendu, mon fils : rien de plus ! Laisse deux gardes sur place qui devront empêcher toute fuite. Prends prétexte pour ce faire des désordres qui viennent de survenir à Lyon, des dangers qui subsisteraient ! Bref, ces deux miliciens seront là pour sa sauvegarde, marque de ma sollicitude. Mais je compte, bien entendu, sur leur vigilance incessante. Va maintenant !

Après que le frère Antoine eut quitté la pièce, Erwin fit signe à Timothée de reprendre son compte rendu :

— J'allais en venir, dit le Grec, à la halte que j'ai faite au relais de Belleville. Maître Firmin qui

179

le dirige m'en a conté d'étranges sur la bande des Foustes.

— Celle de Crispo le Rouge ? fit préciser Doremus.

— ... en effet. Non contents d'écumer les monts, les bandits ont multiplié leurs incursions dans la plaine. Maître Firmin a été jusqu'à me parler d'une certaine indulgence dont ils auraient bénéficié de la part de la milice du comte, et même de complicités, d'impunité ! A telle enseigne que pour préserver ceux qui travaillent sur les domaines du comté et les tenanciers libres, il a été obligé de constituer une milice forte d'une vingtaine de vétérans et qui a déjà rendu maints services.

Erwin toussa.

— Initiative un peu hardie pour un simple maître de relais, ne trouves-tu pas ? ponctua-t-il.

— Fallait-il laisser les brigands égorger et piller ? s'enflamma Timothée.

— Allons, t'ai-je dit que je la condamnais ? précisa le Saxon. Nécessité fait loi, prétend-on. Je n'aime guère ce dicton. Seul Dieu et le roi font loi. Mais enfin, quand la loi du Ciel et du souverain n'a plus de défenseurs... Simplement, puisque maintenant, avec nous ici, elle en a de nouveau, cette milice de maître Firmin passe sous mon commandement.

— Il n'espère que cela... Cependant, concernant les révélations de l'évêque de Mâcon, je n'ai pas encore vidé mon sac. Il m'a indiqué que, voici trois semaines, étaient passés en son évêché trois voyageurs qui lui ont paru suspects. Ils se présentèrent comme des pèlerins bavarois, mais parlaient le meilleur francique, sans accent, et le meilleur latin. Selon l'évêque Clément, ils ont fourni de faux noms. Ils se comportèrent avec assurance, avec arrogance même, bref, n'avaient rien de pieux voyageurs. Ils prirent sans doute la route du Sud.

— Instructif, murmura Erwin. Continue !

— Ce pourraient être les mêmes qui ont séjourné à Saint-Martin-d'Ainay et en sont repartis récemment, singuliers pèlerins au sujet desquels l'abbé Ambroise ne semble pas avoir dit toute la vérité.

— Voilà qui va certainement agrémenter la conversation que j'aurai avec lui, souligna le Saxon avec un sourire.

Entre-temps Raoul le Rouvre, son fils Lucien et Lithaire étaient arrivés à l'*Auberge des Quatre Cavaliers*, invités — honneur remarquable — à prendre part à la collation du soir du missus dominicus et de ses assistants. Lithaire avait revêtu pour la circonstance sa tunique des dimanches et portait à la ceinture le poignard, don du Saxon. Elle avait posé sur sa chevelure un voile léger retenu par un bandeau brodé. Elle était tout autre que la sauvageonne qui, déjà, avait séduit Jean, valet de la mission. Celui-ci, quand il la vit arriver, en blêmit d'émotion. Elle eut pour lui un sourire.

Arnold, à son tour, fit son entrée dans la salle du banquet. Il avait passé la journée à recruter de nouveaux éléments pour la milice de Lyon, dont l'effectif, à présent, n'était pas loin du nombre de soixante-dix fixé par le Saxon. Ce dernier le félicita, encourageant sa diligence, et lui signala l'existence du corps de volontaires recrutés par maître Firmin à Belleville.

Le banquet allait commencer, quand une femme d'une beauté provocante, vêtue à l'orientale, fit irruption dans la salle, bousculant un garde qui voulait l'en empêcher, et vint se jeter aux pieds d'Erwin. Celui-ci la regarda posément.

— Es-tu Judith ? lui demanda-t-il d'emblée en faisant signe à Arnold de ne pas intervenir.

— Oui, maître, répondit-elle tête baissée.

— En venant ici, tu sais ce que tu risques ?

— Oui, maître.

— Alors pourquoi es-tu venue quand même ? demanda le Saxon.

— Parce que j'ai des choses graves, très graves, à te révéler, dit-elle en relevant la tête.

— Graves au point de forcer l'entrée, au dam d'un malheureux garde ?

— Oui, maître.

— Eh bien, parle !

Elle jeta un regard alentour.

— C'est-à-dire... commença-t-elle.

— Bien, suis-moi ! ordonna l'abbé.

Le missus dominicus se rendit dans une pièce reculée où un garde avait enfermé Ammorich, gaon de la communauté juive qui, lui, n'avait pu pénétrer dans la salle où devait se dérouler le banquet. Il se répandit en excuses ; cependant il avait été tellement impressionné par les révélations que prétendait détenir la compagne de Hendrik qu'il

182

avait jugé indispensable d'en avertir sans délai le missionnaire du souverain.

— Judith n'a rien voulu m'en dire de précis, indiqua Ammorich, mais elle était si anxieuse, si agitée et aussi tellement sûre d'elle... Je la connaissais pour une femme qui ne s'émeut pas facilement. C'est pourquoi...

— J'ai compris, coupa le missus.

— Pardonne-moi, seigneur, mais encore un mot : quelle qu'elle soit, elle risque sa vie en te rencontrant et en te parlant...

— Je sais cela aussi. C'est pourquoi, telle qu'elle est, je l'écouterai. Maintenant, Ammorich, veuille nous laisser !

Quand le gaon eut quitté la pièce, Erwin dit à la femme :

— Je t'écoute et droit aux faits !

— Le même jour que celui où Hendrik a reçu ce Doremus, commença-t-elle, cet homme que j'avais si mal jugé... Mais que veux-tu, seigneur, il jouait trop bien les traîtres... et puis aussi ces cinq sous d'or qu'il avait ramassés... Mais ce qui m'a mis la puce à l'oreille, c'est quand il m'a demandé si j'étais juive, et puis sa mise en garde... Quant aux dinars, je sais. Notre gaon m'a dit ce qu'il en était... Bon, je reviens à ce jour. Le soir sont arrivés trois seigneurs francs accompagnés d'hommes d'armes et de valets.

— Pourquoi des « seigneurs » et « francs » ? demanda Erwin.

— A leurs tuniques, à leurs armes, à la façon dont ils commandaient. Ils parlaient le francique et le latin, pas notre langue. Ils avaient amené

avec eux un Bourguignon qui faisait le truche-
ment. Ils ont ordonné à Hendrik de remonter vers
le nord à la rencontre de Crispo le Rouge. Déjà,
ça ne m'a pas plu du tout. Ce Crispo ne se
contente pas de piller. Il aime tuer, il tue et fait
tuer tout ce qui lui tombe sous la main.

— Hendrik leur a-t-il obéi ?

— Les Mustelles ont levé le camp et moi avec.
On a atteint Yzeron pour s'y installer le lendemain soir.

— Hendrik et la bande des Mustelles y sont-ils
toujours ?

— Je le crois.

— Est-ce là que Crispo le Rouge et les siens
doivent rejoindre les Mustelles ?

— Je le crois aussi. C'est là que sont arrivés
hier successivement un Syrus et un messager du
comte Rothard. Le Syrus a parlé d'une grande
opération montée par la mission royale (celle que
tu diriges, seigneur) sur les hauts de Fourvière. Il
a dit que les siens avaient été attaqués, qu'ils
s'étaient battus comme des lions, mais que les
assaillants étaient trop nombreux. Lui, il avait
réussi à leur échapper. Il s'est plaint de Rothard
qui leur avait promis que la milice de Lyon ne
tenterait rien contre eux. Cependant, pour lui,
c'était ton arrivée qui avait tout changé, seigneur.

— Assurément !

— Quant au messager du comte, il a confirmé
que tu avais ôté à celui-ci le commandement de la
garde, et même tout pouvoir. Rothard ne se sentait plus en sécurité. Il se disposait à s'échapper.

D'ailleurs, le seigneur Clodoald le lui avait ordonné.

— Il a dit « le seigneur Clodoald », il a dit « ordonné » ? s'étonna le missus. Aussi, il me semblait bien que pour un économe...

— Tu disais, maître ?

— Rien d'important. Mais comment une femme comme toi peut-elle avoir assisté à des conversations aussi importantes ?

— « Une femme comme moi », vois-tu, seigneur, dispose de certaines armes... Hendrik pensait n'avoir rien à craindre de moi.

A son sourire qui voulait en dire long, le Saxon répondit sans sourciller :

— Je crois voir, en effet. Mais quelque chose d'autre m'intrigue : comment le Syrus fugitif et un messager de Rothard ont-ils pu joindre à Yzeron un Hendrik qui se trouvait un jour auparavant bien plus au sud ?

— Ne sais-tu pas que Hendrik a plus d'un espion en cette ville, dit-elle, et dispose de coursiers rapides ?

— En voilà sur lesquels j'aimerais bien mettre la main !

— Je le souhaite, répondit-elle avec un frisson. Pour toi, seigneur, comme pour moi ton humble servante. Car, lorsque Hendrik apprendra que je me suis réfugiée ici — ce qui ne saurait tarder si ce n'est déjà fait —, il sera encore plus furieux qu'il ne l'était quand... Imagine, maître, que les renseignements apportés par le Syrus et par le messager ne lui ont pas plu du tout. Des brèches dans sa forteresse pour tout dire... Mais je reviens à ce que tu m'as demandé : les conversations entre les seigneurs francs, l'envoyé du comte, le Syrus, le conseiller de Hendrik, ce sale chien de Seneb (qui est syrus lui-même) et enfin Hendrik. Elles se sont déroulées en francique. Hendrik fait mine de comprendre très bien cette langue du Nord, mais en fait... Moi, je la comprends... Tu vois, seigneur ?

— Je vois toujours.

— Pour ne pas avoir l'air d'espionner, je me suis éloignée de leur groupe et j'ai commencé à essayer des parures. Mais j'ai l'oreille très fine... Ce que j'ai entendu m'a donné froid dans le dos. Il était question de s'en prendre au roi Charles, de le capturer...

Erwin l'arrêta d'un geste.

— Tu as bien dit « au roi Charles » ? demanda-t-il. Il s'agissait bien de « le capturer » ?

— Si j'ai dit « s'en prendre au roi Charles » et « le capturer », c'est que je l'ai entendu, seigneur. Ils ont dit aussi que le roi devait se rendre à l'automne à Rome, qu'il passerait par Lyon, qu'avec une troupe forte et bien décidée on pourrait attaquer son convoi par surprise et s'emparer de lui. L'un des Francs a même ajouté : « Et tant pis s'il tente de se défendre ! »

— Encore une fois, interrompit Erwin, es-tu certaine ?...

— Encore une fois, seigneur, je te rapporte exactement ce que j'ai entendu. Donc, selon eux, après que tu as pris les choses en main dans ce comté, l'affaire se présenterait moins bien. Ils ont commencé à envisager d'autres façons de faire. A

ce moment, Seneb m'a jeté un regard soup-
çonneux. Je me suis éloignée avec l'air fâché.

En disant cela, elle mimait l'attitude d'une
femme qui s'est mise en frais et à laquelle on ne
prête pas assez attention. Le Saxon ne put
s'empêcher d'en sourire.

— Alors j'ai entendu qu'ils parlaient de Pépin.
Ils ont dit exactement « Pépin, notre roi ».

— Ont-ils dit à un moment ou à un autre « fils
de Charles » ?

— En effet, ils ont dit « fils de Charles ». Ils
ont dit aussi qu'une fois placé à la tête de tous les
royaumes, il serait plus facile à manier que son
père...

— ... qui ne l'est pas du tout, acheva Erwin.
Mais es-tu certaine d'avoir bien entendu ?

— Combien de fois devrai-je te le répéter,
maître ? J'ai l'ouïe très fine.

— As-tu entendu « Pépin, roi d'Italie[1] » ?

— Non, seigneur ! Juste « Pépin, notre roi ».
Et ils ont précisé que c'était lui qui se tenait derrière toute cette affaire.

— Tu veux dire : derrière cette conspiration ?

— C'est la même chose, seigneur, souligna
Judith qui interrompit son récit un court instant.

« Je vais te dire, seigneur, reprit-elle, j'ai beau
être ce que je suis...

1. Pépin, fils de Charlemagne et de la reine Hildegarde, né
en 777, fut sacré roi d'Italie par le pape Hadrien en 781, donc à
l'âge de quatre ans. Son père installa la cour de son fils à
Pavie. En l'an 800, il y règne toujours sous la tutelle de Charlemagne.

— Marie-Madeleine, femme pécheresse qui assista le Christ dans sa passion, est pour nous une sainte, dit doucement l'abbé saxon.

— Ammorich te confirmera qui je suis à ses yeux. Donc, sainte ou pas, je ne veux rien faire contre notre souverain, un roi glorieux comme on n'en a jamais eu. Ça non ! Jamais ! Et puis tout ça finira mal, très mal. Et puis je n'aime pas ces seigneurs arrogants qui ont débarqué dans notre camp. Tous ces ambitieux, pour moi, ils ont déjà un pied dans la tombe ; et quand je te regarde, envoyé de Charles, je pense qu'ils y ont les deux pieds. Non, je ne veux pas risquer de finir écorchée vive pour ceux-là, ni même pour Hendrik d'ailleurs.

Elle ajouta avec coquetterie :

— Est-ce que ça ne serait pas dommage ?

— Ne demande pas à un abbé de juger de ces choses-là ! riposta Erwin.

— Pardonne-moi, mon père ! s'excusa Judith, sans contrition excessive.

Après une brève réflexion, elle reprit :

— Et puis, murmura-t-elle, je suis juive.

— Tu t'en souviens bien tard.

— Tard ou pas, je m'en suis souvenue ! répliqua-t-elle.

— Non sans courage, il est vrai, nota le Saxon.

— Merci, seigneur. Donc, depuis que ton Doremus m'a mis la puce à l'oreille, je me suis souvenue de conversations qui avaient eu lieu au camp, sous la tente de Hendrik, de certaines paroles de Seneb, de choses et d'autres. Toutes ces manigances des Syri, c'est dirigé contre nous.

188

Quant à moi... Compagne d'un Hendrik, ce n'était déjà pas... mais complice de ceux qui veulent massacrer les miens, ça non ! Pour toutes ces raisons nous avons décidé, Dinah et moi, de fuir, de rejoindre les nôtres. Ce ne fut pas facile, tu peux me croire. Nous avons échappé de peu aux poursuivants. Parvenue ici avec Dinah et enfin avec les miens, j'ai décidé de venir te trouver tout de suite, et de te révéler ce que je sais. Fais-moi emprisonner, étrangler, tu en as le pouvoir, mais épargne-moi.,.

Elle s'était de nouveau mise à genoux.

— Allons, allons, Judith, qui parle de cela ici ? lança le Saxon. Ne serait-ce pas dommage, à ce que tu m'as dit ? Relève-toi et voyons plutôt comment te protéger ! Quant à ce que tu m'as révélé, en mesures-tu toute l'importance ?

— Mais oui, seigneur ! Sans cela, y aurais-je engagé ma vie ?

— Il est vrai, acquiesça Erwin. Tu détiens donc des secrets effroyables. Tu risquerais les pires supplices à en dévoiler quoi que ce soit.

— Je le sais, maître.

Le Saxon se frotta lentement les mains.

— Encore un mot, dit-il. Es-tu certaine d'avoir entendu « Pépin, notre roi », comme cela, dans cet ordre-là ?

— J'en suis sûre et aussi « Pépin, fils du roi Charles ».

Le missus dominicus se dirigea vers la porte et ordonna au garde d'aller chercher le gaon. Quand Ammorich fut de nouveau en présence d'Erwin, celui-ci lui dit :

— Gaon Ammorich, je confie à toi et aux tiens la sauvegarde de Judith et de Dinah. Ceux qui veilleront sur elles auront le droit de porter des armes. Si, par malheur, il arrivait qu'elles risquent de tomber aux mains de nos ennemis, qu'on les tue l'une et l'autre ! De toute façon, cela vaudrait mieux pour elles. Mais cela ne se produira pas. Et pas un mot sur notre entrevue ! Au moindre incident, même en apparence le plus léger, qu'on me prévienne sur-le-champ !

Quand Ammorich et Judith eurent quitté la pièce, le missionnaire du souverain s'accorda un long moment de réflexion avant de rejoindre ses convives.

CHAPITRE VI

Le lendemain, tôt dans la matinée, Benoît le forgeron, Bertier le meunier et le drapier Sasson, accompagnés de deux autres hommes libres, se présentèrent à l'*Auberge des Quatre Cavaliers* et demandèrent à être reçus par le missus dominicus. Erwin, qui achevait de mettre au point avec ses adjoints les entreprises de la journée, ne les fit pas attendre.

— Je te remercie, seigneur, dit Benoît après les politesses d'usage, de nous avoir reçus ainsi, par grande bonté, alors que nous n'avions déposé aucune demande. Tu sais bien que nous ne l'aurions pas osé sans motif grave. Eh bien, mon père, voici que les événements de ces jours derniers et ce que les Lyonnais ont découvert hier, je veux dire ce salaud de comte, sa fuite avec ses complices, les crimes, cette prison affreuse et tout le reste...

— Va, mon fils ! l'encouragea Erwin.

— Eh bien, tout cela a produit dans toute la ville une émotion vraiment très vive, une agitation... Tu sais ce que c'est, mon père : les eaux bouillonnantes profitent aux brochets. Déjà des hommes exaltés, mais aussi malfaisants et vicieux, cherchent à profiter de ce trouble, à l'augmenter aussi ; ils répandent les bruits les plus dangereux, ils font courir des rumeurs ; ils accusent ceux qu'ils appellent les « étrangers », y compris Levantins et Juifs...

— Mais qui n'est pas un étranger dans cette ville par où sont passés tous les peuples du monde ? souligna Erwin. Suffit-il d'être un étranger pour être coupable ? Eux seuls peuvent-ils l'être ? Ne suis-je pas moi-même d'origine saxonne ?

— Tu as prononcé, seigneur, des paroles de vérité. Mais, hélas ! celles de la haine trouvent davantage d'oreilles que celles de la concorde et de la paix. Tel qui veut se venger d'un voisin, tel qui veut perdre un concurrent, tel autre qui convoite la femme ou le bien d'autrui...

— ... ou les deux, plaça le drapier.

— ... tel autre, un incapable, un fainéant, mais amer et jaloux, qui compte sur l'émeute pour assouvir ses envies et apaiser sa haine... Oui, seigneur, voilà beaucoup de monde acharné au mal. Ceux-là prêtent donc à Rothard des complices partout. Ils évoquent à plaisir des catastrophes à venir : une incursion massive des bandits, un retour des Sarrasins, une guerre fratricide, que sais-je encore... Les rumeurs volent de bouche en bouche, de marché en marché, de maison en maison...

— Nous allons couper court à cela, interrompit le Saxon. J'ai enjoint à mes miliciens de maintenir l'ordre avec toute la rigueur nécessaire, de se saisir des factieux, de faire taire les mauvaises langues, et nous avons pour cela un remède tout à fait éprouvé. Quand vous sortirez d'ici, vous verrez des gardes à tous les carrefours, sur toutes les places et près des embarcadères ; d'autres patrouillent déjà. Je serai sans pitié pour les pêcheurs en eau trouble.

— Ne crois-tu pas cependant, avança le forgeron, que tout n'est pas que mensonges et fables dans ce qu'on colporte ? Ne peut-on penser que sont demeurés sur place des complices de ces Syri qui ont fui, des amis secrets de Rothard, des informateurs des bandits et bien d'autres qui prêtent la main à des actions qui visent à mettre notre Bourgogne à feu et à sang ?

— Si fait, mon fils, acquiesça Erwin. Je ne suis pas moins que vous préoccupé de cela. Je me réjouis que nous ayons ce souci en commun. C'est pourquoi je puis certainement compter sur vous qui êtes hommes raisonnables et de sang-froid pour me désigner ceux qui, dans cette ville, sont suspects à vos yeux.

— C'est-à-dire, mon père... commença Benoît d'un air embarrassé.

— Je comprends, coupa le Saxon. Dénonciation est chose malaisée et grave. Mais il faut savoir ce que l'on veut.

— Les soupçons, en effet, sont une chose, la culpabilité une autre, murmura le forgeron.

— Envisageriez-vous que je puisse poursuivre le combat contre des ennemis de l'autorité royale en laissant subsister derrière mon dos, et derrière les vôtres aussi, des complices de ces ennemis ?

Dès lors, les connaissant ou les soupçonnant, vous est-il seulement possible de ne m'en dire rien ?

— Mais risquer de tomber dans la calomnie...

— J'entends bien respecter avant tout ce qui sépare soupçon, calomnie et culpabilité. Je peux vous dire qu'aucun de ceux que je ferai comparaître devant moi — en qualité de témoin, je le souligne —, quelle que soit ma conviction, ne sera retenu plus longtemps que la durée de sa déposition qui sera courte. Toute coercition sera naturellement exclue. J'insiste : je n'exigerai même pas qu'on témoigne sous serment, et tout ceux qui auront comparu sortiront libres.

— Mais s'il se trouve réellement parmi eux des hommes dangereux, des comploteurs, des bandits ? s'écria le meunier.

— Me crois-tu moins que toi soucieux du respect dû au roi, du maintien de la paix publique ? jeta le Saxon.

Bertier s'inclina devant le missus en lui présentant ses excuses.

— Maintenant, reprit Erwin, j'attends vos indications. Y a-t-il en particulier des Syri parmi vos suspects ?

— Pour l'essentiel, répondit Benoît.

— Une douzaine de noms me suffira.

Après s'être consultés, les cinq hommes, non sans réticence, établirent une liste qui désignait neuf Levantins, commerçants pour la plupart, deux bateliers bourguignons et un Juif, changeur et prêteur vivant dans le quartier Sainte-Eulalie. Erwin en avait fait consigner les noms sur une

194

tablette par le clerc Dodon... Il la parcourut rapidement.

— Ces hommes seront convoqués ce matin même et conduits au camp de Saint-Irénée où je les entendrai. Ils seront relâchés ensuite.

— En te priant de me pardonner, dit Sasson le drapier, je me demande quand même s'il ne sera pas dangereux de laisser en liberté des hommes qui se sentiront suspects quoi qu'on dise ou qu'on fasse, et qui, par conséquent...

— Dangereux pour qui ? demanda l'abbé saxon. Pour vous particulièrement ? Mais vos noms ne seront pas cités, ni par moi ni par d'autres. Votre démarche est, certes, déjà connue. On saura partout qu'elle n'a eu comme motif que votre souci de la paix publique et de la sécurité de chacun. C'est à la suite de votre initiative que j'ai pris les mesures d'ordre que je vous ai dites.

— Cela n'empêchera sans doute pas ceux que tu auras fait convoquer de penser qu'ils ont été dénoncés, souligna le drapier.

Le Saxon eut un léger sourire.

— Précisément, dit-il. Sur ce point comme pour le reste, fiez-vous à moi !

Dès que Benoît et ses amis furent partis, Erwin fit venir Arnold et lui remit la liste établie par Dodon.

— Voici les noms des témoins que je te demande de conduire au camp de Saint-Irénée où je les entendrai, dit-il. Tout doit être fait paisiblement, sans menace, et avec discrétion si possible, quoique je ne me fasse guère d'illusions à ce sujet. Si l'un de ces témoins tente de te fausser compagnie, laisse-le faire ! Va maintenant ! Je serai à Saint-Irénée dans deux heures environ.

Erwin, accompagné du valet Jean, ainsi que de deux gardes, se rendit alors à l'évêché. Eldoïnus avait dû faire disposer un guetteur près de l'*Auberge des Quatre Cavaliers*, car il se trouvait à la porte du siège épiscopal quand l'envoyé du souverain y arriva. Son visage exprimait anxiété et chagrin.

— Que m'a-t-on dit ! commença-t-il. Qu'ai-je appris hier soir !... Ce Clodoald, en qui j'avais toute confiance... en fuite ! Et ce comte Rothard... en fuite également après méfaits, forfaits et crimes... Et...

Il s'arrêta à court de mots.

— Je suis bouleversé, murmura-t-il.

— Tu passes ton temps à être bouleversé et à n'être que cela, jeta l'abbé saxon... Passons à plus important : on m'a dit que le blessé avait repris connaissance.

— Oui, seigneur. Enfin une bonne nouvelle...

Mais déjà Erwin avait tourné les talons.

Le frère Yves était assis sur sa couche et achevait une écuelle de soupe quand le missus entra, seul, dans sa cellule. Le clerc posa lentement son assiette et tenta de se lever. Erwin le retint d'un geste.

— Dieu nous a entendus, mon fils, dit-il. Il t'a donné une nouvelle vie. Rendons grâce à Sa bonté ! Tu dois savoir que ce dont tu as été la victime, après Ebles, est un complot contre l'autorité royale. Tu as appris sans doute les événements qui se sont déroulés hier.

196

— Assurément, mon père, par l'un de mes gardes. Et puis, dès le soir, tous, ici, ne parlaient que de cela.

— La mise au jour de ce complot a commencé, en somme, avec la découverte par Ebles de ces faits dont tu m'as dit qu'il les considérait comme étranges et suspects.

Quelques larmes vinrent aux yeux du clerc.

— Depuis que je suis revenu à moi, murmura-t-il, je n'ai cessé de me reprocher mon incrédulité, mon irréflexion, ma légèreté. Si j'avais cru Ebles, mon père, si je l'avais accompagné...

Ce fut Erwin qui acheva la phrase :

— ... il est probable que vous auriez été assassinés l'un et l'autre sur l'île d'Ainay. Dès qu'ils ont soupçonné qu'Ebles était sur la piste d'indices révélateurs, les conspirateurs ont évidemment décidé sa mort. Mais ils ont craint aussi qu'il ne t'ait tenu au courant et, par voie de conséquence, que les membres de ma mission n'aient été informés. D'où le meurtre de ton compagnon, mais aussi les attentats perpétrés contre toi et contre les miens. Que ta conscience, donc, soit apaisée ! Que savons-nous des décrets de la Providence ? Peut-être t'a-t-elle dicté ton attitude, préservant ton existence après une rude épreuve, pour que, aujourd'hui, tu puisses m'apporter des informations de poids : quels étaient donc ces faits qui avaient intrigué Ebles, que t'en a-t-il dit précisément ?

— Tu penses bien, seigneur, que je n'ai cessé de tourner et retourner cela en mon esprit. Donc Ebles me dit un soir — c'était peu de temps avant l'arrivée de ta mission — que l'après-midi même, alors qu'il déambulait par les couloirs de cet édifice, il avait aperçu de loin l'économe Clodoald en conversation animée avec un homme vêtu comme un Levantin. Rien d'étonnant pour un économe de rencontrer un marchand...

Le frère Yves reprit son souffle en buvant une gorgée de vin fortifiant. Puis il reprit :

— Mon ami marchait lentement, plongé dans ses pensées. Clodoald et son interlocuteur, dont il se rapprochait involontairement, avaient paru surpris et contrariés à sa vue. Soudainement le Syrus quitta l'économe et... disparut. Il n'était passé ni par l'une ni par l'autre des extrémités de la galerie qui n'a que deux issues. Clodoald, au passage d'Ebles, lui adressa quelques paroles de politesse, comme si de rien n'était. Je dis à mon ami que, perdu dans ses méditations, il avait accordé une attention distraite à ce qui se passait. « C'est possible », concéda-t-il, mais je sentis bien qu'il demeurait intrigué et inquiet.

— Nous connaissons maintenant l'existence de plusieurs passages souterrains, plus ou moins secrets, menant à l'extérieur, précisa Erwin.

— Cependant, poursuivit Yves, il fut bien plus troublé encore par le fait suivant : ayant éprouvé le besoin de faire quelques pas, après matines, dans la nuit finissante, en parcourant la grande galerie de cet évêché, il avait croisé un homme qui se dirigeait à la hâte vers le portail de sortie. Ce dernier, quand il put distinguer, malgré l'obscurité, les traits du visage d'Ebles, dissimula le sien avec sa manche, comme s'il craignait d'être identifié.

Le clerc s'arrêta de parler un instant. Il paraissait épuisé.

— Nous allons nous en tenir là pour l'heure.

— Non, mon père, cela ira. Je veux terminer... Mon ami me jura qu'il avait en effet reconnu Norbert, ce descendant d'une noble lignée franque et qui mène à Aix une vie de débauche...

Yves fit une nouvelle pause.

— Là encore, murmura-t-il, je mis en doute son témoignage : les circonstances ne le rendaient-elles pas incertain ? Et que serait venu faire à Lyon un Norbert ?

— Il existe peut-être plusieurs réponses à cette question.

— Toujours est-il que mon ami tint ferme. Si bien qu'il s'en ouvrit à Clodoald.

— Nous y voici ! Est-ce celui-ci, demanda le Saxon, qui conseilla à Ebles d'aller chercher à l'abbaye Saint-Martin des informations complémentaires ?

Le clerc hocha la tête tristement. Il essuya son visage qui était en sueur.

— Comment ne pas penser aujourd'hui, surtout après ce qui vient de se passer, dit-il, que c'est ce Clodoald qui a organisé l'assassinat de mon ami, ainsi que les attentats qui ont suivi ?

— Voilà, en effet, ce qui vient à l'esprit. Maintenant, mon fils, je vais te rendre à ton médecin que tu peux remercier aussi, car il a été, guidé par le Tout-Puissant, l'instrument de ta résurrection.

Les renseignements que tu viens de fournir sont précieux et je t'en sais gré.

Après qu'ils eurent récité ensemble une prière d'action de grâce, le missus dominicus quitta le blessé qui paraissait à bout de forces.

Quand Erwin arriva au camp de Saint-Irénée, Timothée vint au-devant de lui, tandis qu'Arnold achevait de rassembler dans une salle, d'ailleurs non gardée, ceux qu'il avait conduits jusque-là sur ordre de son maître. Un seul de ceux qui avaient été convoqués, un Levantin faisant commerce d'esclaves, n'avait pu être joint. Le commandant adjoint de la milice avait fait disposer sur des tables du vin et des boissons rafraîchissantes ainsi que des beignets comme pour une réception cordiale.

Lorsque le missionnaire du roi entra, les conversations cessèrent en un instant. Erwin s'assit en face de ses interlocuteurs. Il se fit servir un gobelet d'hydromel qu'il but lentement en parcourant du regard l'assistance. A sa droite avait pris place le Grec Timothée, à sa gauche, un peu en retrait, Arnold. Une écritoire avait été posée sur un pupitre mais le siège qui était situé devant demeurait ostensiblement vide : aucun clerc ne prendrait note des débats.

Après s'être raclé la gorge, Erwin dit, s'exprimant en francique, langue que tous ces marchands devaient comprendre :

— Faut-il que je vous rappelle ce qui vient de se produire en cette ville, le meurtre d'un envoyé de la chancellerie, les attentats perpétrés contre un autre ainsi que contre des membres de ma propre mission, un comte en fuite après que des affrontements entre certains de ses complices eurent ensanglanté sa résidence, la disparition de Clodoald, singulier intendant en vérité, et autres faits scandaleux ?... Non, n'est-ce pas. Toute la cité est au courant.

Le Saxon but une nouvelle gorgée d'hydromel.

— Malheureusement, j'ai dû constater, et à mon grand déplaisir, que des hommes à qui Lyon a offert une hospitalité fructueuse se trouvaient impliqués dans méfaits et crimes. Il ne fait plus de doute pour moi que ce sont des Syri qui se sont rendus sur l'île d'Ainay, de nuit, pour assassiner le maréchal Ebles, d'autres Syri qui, passant par un souterrain, avec la complicité de Clodoald, ont tenté de faire périr le frère Yves, et au cœur même de l'évêché, d'autres, ou les mêmes, qui s'en sont pris à mon assistant Timothée, ici présent, et à un autre de mes aides, le frère Antoine. Je suis intervenu moi-même contre des Levantins suspects qui s'étaient installés sur les hauts de Fourvière. L'un d'eux a été mortellement blessé, proférant dans son agonie des menaces à mon endroit et me livrant le nom de la conspiration. Que dire de la fuite de Rothard et de ses singuliers amis à bord de bateaux appartenant à des marchands levantins et dirigés par eux, tandis que d'autres déjà avaient permis à des criminels que je poursuivais d'échapper à ma justice ? Comment ne serais-je pas tenté de conclure que cette conspiration dont je viens de parler s'appuie sur des Syri ?

Un homme âgé, qui se trouvait assis juste en face d'Erwin, se leva.

— Je me nomme Nicomède, dit-il. Je tiens commerce de vaisselle d'argent, de cristallerie de Damas et autres marchandises précieuses. Mon grand-père et son grand-père étaient déjà installés à Lyon. Ma famille est lointainement originaire de Thessalonique. Je suis chrétien, comme toi, mon père. Je connais ceux qui sont ici près de moi. Pour la plupart, ils peuvent se prétendre lyonnais à plus juste titre que bien d'autres. Ont-ils conservé des liens avec les villes et pays dont sont partis leurs ancêtres pour venir faire souche ici ? Supposons-le. Mais lesquels ? Constantinople, la Bithynie où est né, dit-on, le Grec qui est à tes côtés, Tyr, Damas, Alexandrie ?... Je ne t'apprendrai pas, seigneur, que ce sont des multitudes qui vivent à l'est et au sud de la Méditerranée, que les cités, là-bas, abritent des foules innombrables, comme on n'en a pas idée ici, qu'il s'y trouve des hommes de toutes croyances et conditions. On a vite fait ici de dire Syri. Mais, ton assistant te le dira, il y a plus de différences entre ceux qu'on nomme uniformément ainsi en Occident qu'entre un Franc, un Romain, un Saxon, un Aquitain... Je ne sais si ce sont des Syri qui ont commis les crimes que tu as dits. Il ne m'appartient sûrement pas de mettre ta parole en doute, seigneur. Mais faut-il beaucoup de criminels pour commettre plusieurs crimes ? Où ne se trouve-t-il pas des brebis galeuses ? Pourquoi ceux qui sont ici auraient-ils quelque chose à voir avec les forfaits que tu as mentionnés ? Incriminerais-tu, maître, tous les Saxons pour un crime commis par un meurtrier saxon ?

— Sûrement pas ! répliqua Erwin. Je ne vous ai d'ailleurs pas convoqués pour vous incriminer mais pour que vous puissiez témoigner et mettre vos indications au service de mes investigations.

Un murmure d'approbation salua cette mise au point.

— Cependant, reprit le Saxon, au-delà des paroles, il y a ce qui s'est passé. Je te félicite, Nicomède, pour avoir conservé de la Grèce non seulement l'art du commerce mais aussi celui de la rhétorique. D'ailleurs, pleine de raison. Restent pourtant les actes. Je vous les ai rappelés. Restent aussi des bruits, des rumeurs qui sont venues jusqu'à mes oreilles, des paroles fâcheuses. Le soi-disant comte Rothard a déclaré à qui voulait l'entendre que c'étaient des Syri qui non seulement avaient exécuté forfaits et crimes, mais encore étaient les inspirateurs du complot. Un certain Norbert, descendant d'une race illustre mais homme dégénéré, méprisé par le roi et la cour, de passage en cette cité venant d'Aix et se rendant Dieu sait où (peut-être en ce camp d'entraînement dirigé, hélas ! par des Levantins et situé vers Condrieu), a tenu, m'a-t-on dit, des propos semblables.

— Peut-on accorder foi aux paroles d'un comte félon et à celles d'un dégénéré ? demanda l'un des témoins.

— A elles seules, non ! Mais quand elles accompagnent des constatations troublantes, on ne peut pas ne pas en tenir compte. D'autant que Clodoald, au cours de la conversation que j'ai eue avec lui, avant qu'il ne me fausse compagnie, m'a peut-être livré la clef de l'affaire. Il a, en effet, prétendu que l'idée de cette conspiration avait germé à la cour de Constantinople, et que de là venaient les directives.

— Comment serait-ce possible, s'écria Nicomède, et de toute façon qu'aurions-nous à voir, nous autres marchands lyonnais, avec un tel complot ?

— Sans doute savez-vous qu'aujourd'hui c'est une femme, Irène, qui est assise sur le trône de l'empereur d'Orient. Récemment, elle a écarté du pouvoir son propre fils Constantin et lui a fait crever les yeux.

Quelques cris indignés ponctuèrent cette précision.

— Pour renforcer sa position que sa cruauté, son incapacité et ses caprices ont entamée, elle a imaginé une union entre notre roi, dont elle connaît la valeur ainsi que la force, et elle-même. Une union matrimoniale...

— Notre Charles a déjà tout ce qui lui faut et plus encore à Aix, jeta l'un des Bourguignons présents dans la salle. Il est, dit-on, aussi vaillant au lit que sur le champ de bataille !

— L'exemple n'en vient-il pas des patriarches bibliques ? dit Erwin sans se démonter. Bien. Je vous ai dit le projet de l'impératrice Irène. Mais un parti s'est formé contre elle : des amis de son fils supplicié, des mécontents de toutes sortes, les uns et les autres conduits par un certain Nicéphore, personnage renommé et influent. D'autant qu'il a la haute main sur les finances de l'Empire et dispose ainsi de plus de pièces d'or qu'un homme ne pourrait en compter pendant toute sa vie. C'est lui donc qui serait l'âme de ce complot dit de la Salamandre, c'est le mot que m'avait révélé le Syrus agonisant.

— Tout cela est bien loin de nous, mon père, souligna Nicomède.

— Bien plus près que tu ne l'imagines, mon fils, répondit le Saxon. Pour les conjurés, il est vital d'empêcher l'union qui apporterait à Irène la puissance des armées franques. Mais, à Constantinople, l'impératrice est trop bien protégée en son palais. Les conjurés n'ont pas hésité, semble-t-il, à en conclure qu'il fallait s'en prendre à celui qu'elle désire avoir comme conjoint et renfort, à notre souverain. Ils connaissent sa générosité, sa bravoure qui confine parfois, j'ose le dire, à la témérité. Combien de fois ne l'ai-je pas vu exposer sa vie au cœur des batailles ! Notre roi Charles doit se rendre à l'automne à Rome d'où son pouvoir sortira encore grandi. Il est question qu'il passe par Lyon ; tout le monde est au courant des constructions qui sont en cours pour le recevoir dignement.

— Oui, cet édifice presque terminé près de l'évêché, précisa l'un des assistants.

— En effet. Il a donc été envisagé par les conspirateurs un coup de main audacieux, criminel, sacrilège : s'emparer de la personne du roi, l'écarter du pouvoir, peut-être lui crever les yeux... peut-être l'assassiner... Mais une telle opération exige des moyens importants, des renseignements, des hommes de main en grand nombre. Sur qui, pour la mettre sur pied, ces comploteurs lointains, à ce qu'on m'a dit, auraient-ils compté ici?

Le Saxon regarda l'assistance.

— Sur vous! lança-t-il.

Des protestations jaillirent.

— Sur vous! répéta-t-il. Pas nécessairement ceux qui sont ici mais, disons, sur les Syri de la Lyonnaise : pour recueillir et acheminer jusqu'à Constantinople les renseignements indispensables, pour en recevoir l'or de la corruption et l'utiliser, pour stipendier des bandes comme celles de Hendrik et de Crispo le Rouge, pour mettre à la disposition de ces mercenaires bateaux, chevaux, vivres, armes, camp d'entraînement, pour espionner non seulement en cette ville mais jusqu'au sein de la cour et ainsi de suite...

Timothée regardait son maître avec des yeux ronds.

— ... Il semble bien, en effet, que ce complot de la Salamandre ait trouvé ici et là, à Aix même, des aigris, des envieux, des ambitieux, des lâches, comme il y en a toujours et partout, pour lui fournir des complicités. Ce sont les mêmes, d'ailleurs, qui, le secret étant éventé, le complot voué à l'échec, ont entrepris de rejeter sur les Syri, sur vous, oui sur vous seuls, toute responsabilité.

Des cris s'élevèrent :

— C'est une honte, un effroyable mensonge, une abomination!

— Comment croire tout cela? dit Nicomède quand ses voisins se furent un peu calmés. Ne s'agit-il pas d'une fantasmagorie, d'un mauvais rêve, d'un cauchemar?

— Voilà des paroles bien hardies, mon fils, souligna l'abbé saxon.

— N'y va-t-il pas de nos personnes et de nos biens, de notre réputation, de notre vie ?

— Oui, bien hardies, reprit Erwin, car ce cauchemar, cette fantasmagorie se sont traduits ici et près de nous par des meurtres, des attentats, des désordres, des faits étranges autant que scandaleux et qui réclament explication.

— Sans vouloir te faire offense, seigneur, déclara Nicomède, pourquoi celle dont tu as fait état serait-elle la bonne ?

— Si j'en étais persuadé, si elle était avérée, seriez-vous en cette salle, libres, en face de moi, à vous désaltérer ? Cependant, à un moment ou à un autre, je mettrai la main sur ces personnages corrompus qui ont sans nul doute participé à la conspiration, ceux-là mêmes qui ont porté contre vous des accusations, mais jusqu'ici trop générales et vagues pour être retenues. N'oubliez pas qu'il s'agit d'une affaire qui concerne le roi, son autorité, sa personne, sa race. Rien de plus grave au monde ! Alors, croyez-moi, entre mes mains, ils diront ce qu'ils savent ! Et si, par malheur pour vous, ces accusations vagues, imprécises dont je viens de parler étaient étayées par des précisions, par des affirmations vérifiables — car vous savez qu'aujourd'hui certains, dont je suis, ne se contentent plus d'aveux —, alors ma justice s'abattrait, impitoyable !

Un silence effrayé suivit cette affirmation. Le Saxon se leva et ses interlocuteurs en firent autant.

— J'attends de vous, conclut Erwin, que vous apportiez pleine collaboration à mon enquête. Timothée, qui est ici, recueillera, en tête-à-tête, vos informations sur lesquelles il conservera le secret, sauf, évidemment, avec moi. Vous êtes libres... — un temps — naturellement.

Et il quitta la salle.

Jean l'attendait dans la grande cour du camp. Le jeune homme rendit compte de la mission qui lui avait été confiée : il existait bien un troisième souterrain, parfaitement déblayé, qui reliait l'évêché à l'église Saint-Paul et aboutissait à un ancien presbytère à demi en ruine. Clodoald, là encore, avait donc menti.

— Oui, pour faciliter sa fuite, nota Erwin. Cela dit, cette ville est une vraie taupinière.

Quand il approcha, à cheval, de son quartier général, l'abbé saxon aperçut Lithaire qui fit quelques pas au-devant de lui ; elle avait l'air très affairée. Il descendit de sa monture.

— Puis-je, seigneur, te parler un instant, dit-elle.

— Oui, si c'est important.

— Voici ! Mon père, qui s'était rendu au marché se tenant au pied de la Croix-Rousse pour y montrer des exercices de force, a observé une agitation anormale près du couvent de moniales qui se trouve là.

— Tu veux dire le couvent Saint-Pierre.

— Oui, seigneur. Donc des allées et venues nombreuses, des cavaliers, des voitures. Tu vois, maître. Tout le monde sait à Lyon que ce couvent... Bref, il n'a pas bonne réputation... surtout quant aux moniales... Mais tout ce mouvement... On a donc mené une enquête rapide. J'ai parlé avec des servantes, mon père a fait parler des domestiques, des livreurs... Quelques piécettes par-ci par-là...

— Je vois.

— Voici : le couvent abrite depuis quelques semaines une femme qui se dit d'une très bonne race, de famille franque, une femme vraiment âgée, d'une cinquantaine d'années. Tous disent qu'elle est exigeante et dure. Elle reçoit beaucoup, des messagers surtout. Elle a amené avec elles trois amies, aussi fières et hautaines qu'elle-même. Voilà ! Je n'en sais pas plus.

— Et voilà une information qui arrive à point, dit Erwin. Tu as encore bien œuvré, Lithaire. Mais je t'ai déjà récompensée d'un poignard, je ne puis quand même pas à présent te gratifier d'un glaive !

— Pourquoi pas, seigneur ? répondit-elle en riant. J'aurais la force de m'en servir, crois-moi, contre les ennemis du roi.

— J'en suis sûr. Mais, dis-moi, jeune guerrière, t'a-t-on indiqué le nom de cette aventurière ?

— Elle a déclaré se nommer Waltrude. Mais personne ne croit que c'est là son vrai nom.

— Sans doute pas. D'ailleurs, je n'ai jamais connu de Waltrude, souligna Erwin. Cependant, il y a dans ce nom comme un petit air de famille. Vois-tu, même une appellation de circonstance peut se révéler instructive.

Bien qu'il eût pris toutes précautions, ne laissant pas moins de quatre gardes, et pas seulement deux, en faction près de l'abbaye Saint-Martin-d'Ainay, frère Antoine n'en était pas moins saisi par le doute tandis qu'il chevauchait au côté de son maître en direction de ce monastère. Et s'il existait là aussi des souterrains qui auraient permis à l'abbé Ambroise de déjouer toute surveillance ? Il ruminait cette désastreuse pensée tout en expliquant au Saxon pourquoi il avait estimé utile, la veille au soir, d'avoir une conversation avec le directeur du scriptorium.

— Ambroise, disait-il, saura évidemment que je l'ai rencontré. Le directeur l'assurera qu'il n'a rien révélé. L'abbé ne le croira pas. Il se demandera ce que nous savons effectivement. Donc...

— Que dis-tu ? marmonna l'envoyé du souverain plongé dans ses pensées.

— Rien d'important, maître.

A la porte de l'abbaye, le milicien de garde fit venir le frère portier qui, après avoir confié le coursier d'Erwin et la monture du Pansu à des valets, conduisit le missus et son assistant au logis de son supérieur. Le frère Antoine fut très soulagé quand il vit s'avancer l'abbé Ambroise avec un visage qui exprimait à la fois considération et irritation. Laissant son adjoint dans l'antichambre, Erwin entra dans le bureau d'Ambroise suivi de celui-ci pour un entretien en tête-à-tête.

— Puis-je te dire, attaqua le supérieur du monastère, que j'ai été surpris de la façon dont on en a usé avec moi ? Cette prétendue protection qui n'est en fait qu'une surveillance témoigne d'une méfiance que je n'ai méritée en aucune façon.

— Certes, certes ! dit le Saxon en se frottant les mains lentement. Mais les esprits sont agités et, en cette province lyonnaise, les temps sont troublés, comme le prouvent les événements qui s'y sont déroulés depuis qu'on a trouvé un maréchal des écuries royales mort, assassiné, à la porte même de ton couvent. Avoue que, dans ces conditions, quelques précautions ne sont pas inutiles !

— Ici, je ne risque rien.

— Je n'en suis pas si sûr, dit doucement Erwin. L'audace des tueurs n'a pas de limites. On a bien attenté à la vie d'un missionnaire de la chancellerie au cœur de l'évêché. Tu me diras que, grâce à mon action, les assassins à gages ont dû fuir Lyon, que leurs chefs et bailleurs de fonds ont fait de même.

— Comment ne pas s'en réjouir et ne pas t'en féliciter, seigneur ?

— Mais qui peut assurer qu'il n'est pas resté dans la ville des tueurs, que tous les conspirateurs en sont partis ? Et qui doit craindre qui aujourd'hui ?

— Que veux-tu dire ?

— Mais commençons par le commencement, dit le représentant du roi. Ebles assassiné tient dans sa main un fragment de parchemin accusant les Juifs. D'où sort ce faux, d'ailleurs grossier, au service d'une mise en scène qu'un idiot n'aurait pas gobée ? De ton scriptorium ?

— Comment serait-ce possible ! se récria l'abbé. Non, en vérité, jamais je n'aurais permis un tel faux au service d'un tel crime.

— J'en prends acte. Deuxièmement, cette

lettre faisant état d'un travail inachevé. Tu vois ce que je veux dire ? Tu as indiqué à mon assistant qu'il s'agissait d'une allusion à une copie de la *Vie des douze Césars* destinée au scriptorium de Mâcon et livrée incomplète. Mon adjoint Timothée s'est rendu à l'évêché de Mâcon. Ils ont bien reçu le texte de Suétone mais complet, bien relié, sans défaut. Alors ?

— Quelle importance ? Ton assistant m'avait irrité. Je lui ai répondu n'importe quoi.

— Je veux bien que tu aies répondu n'importe quoi. Mais il reste ceci : de quelle entreprise inachevée s'agissait-il donc, à qui cette lettre était-elle destinée ?

— Mon scriptorium fait face à des demandes nombreuses. Je ne saurais être au courant de tout.

— Mon assistant, celui qui t'a irrité, a émis une idée intéressante à ce sujet : et si cette lettre était destinée à prévenir quelqu'un qu'un seul envoyé de la chancellerie avait pu être frappé à mort, alors que les comploteurs avaient ordonné que les deux le fussent. Tu vois ?

— Mais c'est une infamie, une calomnie ! s'écria Ambroise.

— Qu'en sais-tu si ce n'est pas toi qui as dicté cette lettre ?... Donc, au lieu de t'indigner, tu ferais mieux de me dire qui, ces dernières semaines, ou ces derniers jours, a pu utiliser les services de tes clercs. Rothard l'a pu sans doute, Clodoald aussi, ou alors un de ces personnages importants — quoique douteux par bien des côtés —, comme ce Norbert, qui ont bénéficié de ton hospitalité... Tu vois, je ne songe nullement à te mettre en cause personnellement. D'ailleurs, je te crédite de beaucoup trop de prudence pour avoir pris des risques inconsidérés dans une entreprise insensée. La prudence... qualité maîtresse dont tu vas avoir bien besoin.

— Je ne comprends pas pourquoi.

— Tu devrais réfléchir, répliqua sèchement le Saxon. Ce qui s'est produit ici est de toute évidence relié à une conspiration dont je connais le nom et dont j'ai découvert avec horreur qu'elle était dirigée contre le roi lui-même. A sa tête, une coalition hétéroclite d'intérêts étrangers et d'ambitions de cour qui a stipendié des hommes sans honneur pour qu'ils trahissent leur souverain et organisent sa perte. Sur qui pouvaient-ils compter pour exécuter leur crime ? Sur des mercenaires, recrutés surtout parmi des Levantins, et sur des bandes organisées comme celles de Hendrik et de Crispo le Rouge, plus des hommes de sac et de corde rencontrés ici et là.

— Qu'ai-je à voir, seigneur, avec cela, sinon que je paierai de ma propre vie l'échec d'un tel dessein ?

— N'en parle pas si légèrement !

L'abbé Ambroise blêmit.

— Il est évident aujourd'hui, reprit le Saxon, que ce complot ne connaîtra même pas un début d'exécution ; le secret en est éventé, le dispositif en est disloqué. Mercenaires de tout poil et Levantins se sentent d'ores et déjà floués ; en fait de gages, ils vont récolter des horions. Pour les bandits de même car, tu le penses bien, je vais demander au roi que soit montée sans tarder une opération qui permettra d'en finir une bonne fois avec ceux qui menacent son autorité, pillent, volent et tuent, portant atteinte à l'ordre voulu par Dieu.

— Je ne pourrai que m'en féliciter.

— Je l'espère bien. Mais pense encore à ceci : contre qui vont se retourner ces mercenaires, ces sicaires, ces bandits ? Bien entendu, contre ceux qui leur auront fait miroiter des gains prodigieux et qui, en fait, les ont entraînés sur des chemins où l'on rencontre non l'or mais la mort — souvent la pire des morts —, contre ceux qui, capturés, seraient susceptibles de les trahir, si je puis dire. Comment ? Mais en livrant tous les renseignements, vrais ou faux d'ailleurs, susceptibles de perdre ceux-là mêmes qu'ils auront embauchés, et cela dans l'espoir que le roi fasse preuve de clémence, que les juges ne les condamnent pas aux pires supplices.

L'abbé suait de peur.

— Cela achèvera de confondre ceux qui ont ourdi le complot et ceux qui auront pris part à son organisation à quelque niveau que ce soit. Tu me diras que pour tous les conspirateurs qui sont et seront apparus au grand jour, cela ne changera pas grand-chose. Les aveux des exécutants ne feront que confirmer leur crime. Mais pour les autres, ceux qui sont demeurés dans l'ombre et comptent bien y demeurer, ce sera, pour eux, catastrophique. Oui, pour ces chefs ou complices secrets, cela va faire toute la différence entre impunité et condamnation, entre la vie et la mort.

— Oui, oui, toute la différence, bégaya Ambroise.

— Note bien, dit Erwin avec un bon sourire, que je me sens plutôt rassuré à ton sujet. Tu viens de me confirmer, ici même, que tu n'as rien à te reprocher. Tu n'as, à aucun moment, en aucune façon prêté la main à cette conspiration calamiteuse. En particulier, pas de faux établi en ton scriptorium, pas de missive suspecte. Mercenaires et autres ne peuvent te considérer comme un danger à éliminer. Pris, et s'ils parlent, ils n'auront rien à dire à ton encontre, rien qui te fasse tomber dans les pires périls. N'est-ce pas ?

L'abbé avait baissé la tête, réfléchissant sombrement.

— Qui peut jamais se vanter d'avoir été assez prudent ? dit-il à voix basse. Un comte comme Rothard, un économe aussi érudit que ce Clodoald, qui aurait pu se douter qu'ils tramaient cette détestable entreprise, qu'ils y participaient ? Et ces seigneurs comme ce Norbert, ce comte Hugues, cet Alaman Adalrich, qui m'ont demandé l'hospitalité pour eux et pour leurs suites, qui les aurait rangés parmi les comploteurs ?

Ambroise marqua un temps d'arrêt comme pour mieux souligner l'importance du renseignement qu'il venait de livrer en citant ces noms.

— N'ai-je pas été trop confiant, trop naïf avec eux ? ajouta l'abbé. Je te le demande, seigneur, qui aurait pu deviner ce qui se cachait derrière leurs grandes manières, leurs prévenances ?

— ... et leurs flatteries.

— ... hélas! oui, leurs flatteries...

— S'il ne s'agit que de cela, nota Erwin, la vanité est un péché, mais pas un péché mortel. Cependant, si peu impliqué que tu sois en tout cela, tiens-toi quand même sur tes gardes... Eh bien, voilà une conversation qui a été des plus utiles.

Le missus dominicus se leva.

— Je vais prendre congé, dit-il.

— Tu pars maintenant, comme cela? bredouilla le supérieur du monastère.

— Tu dois bien imaginer que j'ai fort à faire... Je vais donc partir escorté par ces gardes que j'ai fait mettre de faction hier près de ton abbaye et puis...

— Escorté par ces gardes-là, dis-tu?

— Ils ne servent plus à rien ici, affirma Erwin. Cela ressort clairement de notre entretien. En outre, ne t'es-tu pas plaint, et tout à l'heure encore, de leur présence?

— Mais, seigneur, une erreur, un quiproquo, une méprise, un malentendu sont toujours possibles, dit Ambroise d'une voix tremblante.

— Allons donc! s'exclama le Saxon avec cordialité. De quel malentendu pourrait-il s'agir? D'ailleurs, tu ne risques rien entre ces murs... Si! Tu me l'as dit toi-même. Tu ne manques certainement pas d'amis qui viendront partager un temps ta pieuse existence pour achever de te rassurer.

— Si tu pouvais cependant... commença l'abbé.

— Des tâches urgentes m'attendent, laissa tomber Erwin. A bientôt... J'espère.

216

L'abbé Ambroise, vacillant, put à peine rac-compagner le missionnaire du souverain jusqu'à la porte de son logis.

Dès qu'il se fut éloigné d'une centaine de pas du monastère, Erwin fit signe à son escorte de s'arrêter. Il fit venir près de lui un de ses gardes.

— Comment te nommes-tu, quel âge as-tu, es-tu de Lyon? lui demanda-t-il.

— Je me nomme Pierre, j'ai vingt ans, je suis de Lyon, du quartier Saint-Paul, à ton service, maître, répondit le milicien.

— Tu connais donc ta ville. Alors, écoute-moi bien : tu vas surveiller le chemin qui mène d'ici au couvent Saint-Pierre ! Place-toi près d'un point de passage obligé, par exemple l'endroit où ce chemin franchit un bras de la Saône ! Observe dis-crètement ! Si tu vois passer un messager venant d'ici et chevauchant vers le couvent des moniales, laisse-le prendre de l'avance ! Viens me rejoindre en ce couvent où nous nous rendons sur-le-champ ! Mais là contente-toi de dire ceci à la sœur portière : « Va prévenir le missus dominicus que j'ai une communication à lui faire ! » Répète !

Après que le garde se fut exécuté, le Saxon pré-cisa :

— Cela voudra dire que le messager que tu auras repéré sera arrivé au couvent et, sans doute, l'apercevras-tu dans le vestibule où l'on fait attendre les visiteurs. Étant tenu au courant par ton message, je n'aurai pas besoin qu'on te mène à moi. D'ailleurs, dans un couvent de moniales... encore que, paraît-il, en celui-là...

Le garde sourit.

— Voyez cela ! plaisanta Erwin prenant les autres gardes à témoin. Mais c'est bien, mon fils, j'aime ceux qui me servent gaiement. Donc, Pierre, ayant accompli ta mission, tu te placeras sous les ordres de frère Antoine.

Le Saxon se tourna vers son assistant.

— Toi, dit-il, dès que nous serons arrivés à Saint-Pierre, tu disposeras les gardes qui seront demeurés avec toi de manière qu'ils surveillent toutes les issues du couvent. Y entre qui voudra, en sorte qui voudra sauf, quel qu'en soit le prétexte, une femme. Il y a là certain gibier que je veux garder au gîte !

Quand le missus dominicus se présenta à la porte du couvent, la sœur tourière, prévenue, alla quérir l'abbesse qui ne tarda pas à se présenter et s'avança, très droite, visage revêche, vers le Saxon.

— Tu donnes présentement l'hospitalité, dit celui-ci sans précaution oratoire, à une femme qui se nomme Waltrude et à quelques-unes de ses compagnes, j'ignore si elles sont religieuses ou non. Je dois, de toute urgence, rencontrer cette Waltrude.

— Mais, seigneur, ceci est un couvent de moniales ! objecta l'abbesse.

— Faut-il te rappeler que je suis missionnaire du roi pourvu, comme tel, par capitulaire portant le sceau de Charles, de tous pouvoirs, y compris dans le domaine ecclésiastique, et qu'en outre je suis abbé ? Donc, tu vas me conduire à cette Waltrude que tu héberges. Mon assistant et mes gardes demeureront, bien entendu, à ma disposition, hors les murs de cet édifice sauf événement imprévu et grave. Si un messager se présente, venant de Saint-Martin-d'Ainay, qu'il attende ! Si un de mes gardes demande quelque chose, qu'on me prévienne ! Allons !

— J'obéis, concéda l'abbesse de mauvais gré. Je vais aller avertir...

— Il n'en est pas question ! Montre-moi le chemin ! Je te suis.

Erwin posa la main sur la poignée de son glaive.

— Allons ! répéta-t-il.

Quand elle fut arrivée devant le logis réservé à Waltrude et à ses suivantes — car il ne s'agissait pas d'austères cellules monacales — la mère supérieure se tourna vers le Saxon.

— Tu me permettras au moins, dit-elle, de prévenir des femmes en leur chambre de l'arrivée imprévue d'un homme, fût-il missus dominicus et abbé.

— Fais !

L'abbesse ressortit de la pièce presque immédiatement.

— Waltrude ne souhaite pas te voir, annonça-t-elle.

— Dis plutôt qu'elle ne veut pas être vue, répliqua le Saxon. Il faut pourtant qu'elle me reçoive, et à l'instant. De toute façon, je la verrai. Sa vue ne m'apprendra rien. Je sais déjà. Mais j'aurai, moi, beaucoup de choses à lui apprendre.

A ce moment, la porte s'ouvrit. Une femme revêtue d'une riche tunique, un voile, retenu par un bandeau serti de pierreries, recouvrant sa chevelure blanche, apparut.

— Eh bien, me voici, seigneur, dit-elle.

— Oui, te voici, Emma, répondit Erwin. Heureusement ou malheureusement pour toi, tu n'es pas de celles qu'on oublie. Huit ans déjà... à Aix... dans des circonstances fâcheuses, il est vrai.

— Est-ce pour remuer un tel passé que tu as exigé de me rencontrer?

— Il semblerait que nous soyons voués à de telles circonstances, car celles d'aujourd'hui ne sont pas moins dramatiques que celles de jadis.

— Pourquoi de telles paroles?

— L'été 792, reprit Erwin, voilà qui te dit sûrement quelque chose, cet été au cours duquel, le roi étant en campagne, un complot place sur le trône son fils, un bâtard difforme né d'une concubine répudiée. Pour bien peu de jours en vérité. Tu te souviens, n'est-ce pas Emma, de ce retour de Charles victorieux : l'usurpateur incarcéré, les comploteurs démasqués et arrêtés, la plupart d'entre eux condamnés et mis à mort. Seuls quelques-uns parviennent à se disculper et à bénéficier de la clémence du roi.

— Voilà qui ne m'apprend rien.

— Je n'en doute pas. Cependant cette clémence d'autrefois, qui n'est pas aujourd'hui sans conséquences, m'avait à l'époque — j'étais depuis peu d'années au service du roi — fortement intrigué. Pourquoi le souverain défié n'avait-il pas fait mettre à mort cette ancienne concubine, cette Himiltrude, dont tout le monde savait qu'elle avait prêté la main à la conspira-

220

tion? Pourquoi, sinon parce qu'il n'avait pas complètement oublié cette passion que Himiltrude lui avait inspirée alors qu'il était un jeune roi, et le déchirement que lui avait causé sa répudiation pour raison d'État? Et n'avait-il pas aussi conservé quelque tendresse pour son fils contrefait, ce qui l'avait porté à estimer que celui-ci avait été davantage coupable de faiblesse — un jouet entre les mains des conspirateurs, un instrument de la vengeance tardive de Himiltrude — que de complot et rébellion?

— Ce sont de vieilles lunes, ponctua Emma.

— Mais la lune est toujours là. Il se trouve, vois-tu, que j'ai eu connaissance du passage en cette ville, et récemment, de certains de ces personnages qui avaient bénéficié de la mansuétude du roi, tels que Norbert et Hugues... A Lyon, cependant, se produisaient des événements sanglants et scandaleux. Alors, j'ai trouvé leur présence curieuse. J'hésite à croire qu'ils aient pu une nouvelle fois, à huit années de distance, trahir leur foi et conspirer contre leur roi. Mais pourquoi ont-ils pris tant de précautions pour que leur séjour en cette contrée demeure secret?

— Est-ce à moi de répondre à une telle question?

— Peux-tu te mettre un instant à ma place, Emma?

— Dieu m'en garde!

— Donc la conspiration de 792. Et aujourd'hui ce complot à Lyon. Des noms prononcés jadis, ceux de personnages que je retrouve ici, réunis. Et puis toi que je connais et reconnais, Emma, toi la sœur de Himiltrude, toi la tante de Pépin le Bossu, toi installée secrètement en ce couvent... j'allais dire comme une araignée au centre de sa toile.

— Les araignées sont des bêtes calomniées. Elles sont intelligentes et diligentes.

— Mais si c'est à toi que ta sœur, toujours enfermée après sa répudiation, et depuis vingt-huit années dans un couvent, a confié le soin d'assouvir sa haine inlassable, permets-moi de te dire que tu as bien mal tissé ta toile. Rien de plus mal conçu, de plus mal préparé, de plus mal pourvu, de plus mal conduit que cette conspiration dite de la Salamandre... et marquée, de surcroît, par des initiatives criminelles provoquées par l'affolement comme cet assassinat d'un maréchal des écuries royales et tout ce qui a suivi... Pour garder un complot secret, il y avait mieux...

Emma haussa les épaules.

— Car cela ne pouvait qu'attirer mon attention, souligna Erwin, me poser quantité de questions, me mettre sur la piste de machinations dont je n'avais même pas le soupçon en arrivant à Lyon où m'avait appelé seulement l'absence momentanée de l'évêque Leidrade. Mais réflexions et hasard m'ont conduit finalement jusqu'à toi.

La sœur de Himiltrude éclata d'un rire sarcastique.

— Le hasard, vraiment, ah oui vraiment ! s'écria-t-elle.

— Tu as raison, pas le hasard, mais la rumeur, lancée par qui, pour quoi...

Le Saxon laissa cette interrogation en suspens.

— Tu en es donc resté aux rumeurs, jeta Emma d'un ton méprisant.

— Distinguons... commença Erwin.

A ce moment, l'abbesse, après s'être fait annoncer, vint prévenir le missus dominicus qu'un de ses gardes avait un renseignement à lui communiquer.

— Je verrai cela tout à l'heure, dit le Saxon.

Puis, se tournant à nouveau vers Emma, il reprit :

— J'allais te confirmer que, quant aux exécutants de ce complot, Syri, chefs de bande et autres, je sais tout ce qu'il faut savoir. Je sais aussi que, comme il y a huit ans, il s'agissait d'écarter le roi Charles du pouvoir, en s'emparant de lui lors de son passage à Lyon, en route vers Rome ; il s'agissait encore une fois de placer Pépin le Bossu à la tête des royaumes, tandis que Himiltrude, enfin vengée, aurait tout gouverné secrètement, à l'instar de certaines impératrices de Rome ou de Constantinople. Je puis même te dire que certains conjurés projetaient le crime majeur : mettre à mort notre souverain ! J'ai employé le passé pour décrire de tels projets, car il ne reste plus pierre sur pierre de cet édifice abominable : Himiltrude, au mieux, restera dans son couvent sous surveillance renforcée, et Pépin le Bossu, jusqu'à sa mort, au monastère de Prüm, tandis que le roi Charles, aimé de Dieu, toujours victorieux, ira vers une destinée encore plus glorieuse. Si les conspirateurs ne se rendent pas encore compte de cela, les mercenaires et exécutants, eux, le savent. Ils savent aussi que, cette fois-ci, la répression sera menée sans merci. Ils ne reculeront devant rien pour éviter le pire. Je plains les chefs et meneurs de la conspiration dont le sort dépendra de leur discrétion et de leur fermeté sous la question.

— Qu'attends-tu pour me soumettre moi-même à la torture ? lança Emma d'un air de défi.

— Nous sommes quelques missi à Aix à penser qu'aveux et témoignages ne suffisent pas à établir la vérité. La douleur de la torture fait avouer n'importe quoi à l'innocent, le criminel endurci sait mourir avec son secret. Quant aux témoignages, combien ils sont fragiles, et contradictoires souvent ! D'un autre pouvoir sont les preuves.

— Je n'entends rien à cela.

— Je le crois, Emma... Pour l'heure, j'en ai terminé avec toi. Je te demanderai seulement de demeurer ici. Je laisserai deux miliciens à la porte de ce couvent.

— Je suis donc prisonnière !

— Appelle cela comme tu voudras ! Je ne t'interdis rien, sauf de quitter... Comment dire ?... cette retraite qu'après tout tu as choisie. A bientôt, Emma !

Le camp où s'était rassemblée la troupe des comploteurs était installé en contrebas d'Yzeron, dans la vallée ; ceux qui y demeuraient en temps ordinaire, forestiers et bergers, avaient fui pour la plupart. Ceux qui étaient restés, en majorité des esclaves et leurs familles, étaient passés au service des rebelles et quelques-uns même avaient

224

accepté de devenir leurs auxiliaires armés contre la promesse de leur émancipation.

Doremus, accompagné d'une dizaine de miliciens équipés légèrement, avait préféré passer par les hauts des monts, empruntant la route du col de Malval, plutôt que de suivre le chemin habituel qui serpentait au fond de la vallée. Comme ils approchaient d'Yzeron, ils avaient mis pied à terre laissant les chevaux dans un couvert à la garde de deux d'entre eux. A présent, ils avançaient en éclaireurs prudemment et le plus silencieusement possible. L'ancien rebelle savait qu'ils tomberaient sur des sentinelles patrouillant à flanc de mont pour assurer la sécurité du camp.

Soudain, il entendit une conversation, celle de deux hommes qui avançaient en échangeant des plaisanteries sur un sentier bordé de houx, de genêts et de genévriers, d'épines et de ronciers. Comme les deux sentinelles arrivaient à un tournant, quatre hommes, coutelas en main, leur sautèrent dessus et les désarmèrent. Ils en restèrent éberlués.

Ils virent arriver vers eux un gaillard chauve qui les dévisagea.

— On m'appelle Doremus, dit-il, et on me reconnaît facilement à la chevelure que voici. Toi, le grand, qui m'as l'air moins abruti que ton compagnon, répète : Doremus !

— Doremus, dit l'homme.

— Très bien ! Maintenant, ouvre bien tes oreilles et toi aussi, l'abruti. J'ai un message urgent et important pour Hendrik. Écoutez bien et retenez bien. Voici : « La salamandre... » Tu sais ce que c'est qu'une salamandre ?

— Oui, oui, bégaya l'abruti. Une sale bête d'enfer, noire comme ça, avec...

— Ça va ! Je reprends et si vous ne retenez pas bien, Hendrik vous coupera le nez, les oreilles et le reste. Donc : « La salamandre est cuite. Les beaux seigneurs s'apprêtent à foutre le camp. Crispo le Rouge te trahit. Il veut ta peau et tes sous. En voilà pour cinq dinars. Bonne chance. » Encore une fois : la salamandre, les beaux seigneurs, Crispo, cinq dinars et mon bon souhait.

Après plusieurs répétitions, l'ancien rebelle estima que le message serait transmis comme il le désirait.

— Maintenant, dit-il aux deux hommes, vous allez regagner votre camp. Sans vos armes. Je sais que c'est fâcheux pour des sentinelles. Mais je ne peux pas prendre de risques, même avec des gourdes comme vous. Le temps que vous soyez arrivés, nous serons déjà loin. Inutile de nous donner la chasse. D'ailleurs, pourquoi Hendrik à qui je rends aujourd'hui un sacré service le ferait-il ? Attention : rentrez sagement, sans courir, bien tranquillement, sinon... j'ai avec moi des archers qui font mouche à tous coups.

Tandis que sa troupe retrouvait ses chevaux, Doremus joignit les mains pour une courte prière.

— Pourquoi pries-tu, maître ? lui demanda un jeune garde.

— Je remercie la Providence qui a placé sur notre chemin ces deux crétins et j'implore son aide pour ce qui va suivre, car nous allons en avoir besoin.

L'ancien rebelle avait repéré à l'aller, en expert, une clairière bien dissimulée aux regards, de garde facile et située à un peu plus d'une lieue d'Yzeron. C'est là qu'avec ses miliciens il établit un campement pour la nuit, non sans avoir envoyé à Lyon un messager chargé de prévenir Erwin du bon déroulement de la mission qui lui avait été confiée, et de lui indiquer où il se trouvait.

Pas question de feux de bivouac. Les gardes s'installèrent en silence dans le crépuscule autour de Doremus pour un repas frugal. L'ancien rebelle, à voix basse, répartit les tours de patrouille. Puis les hommes s'installèrent, toujours silencieux, sous leurs couvertures pour lutter contre le froid de la nuit qui est vif sur les monts, même à la belle saison. C'étaient des hommes calmes et courageux, rudes combattants. Doremus se sentit fier d'eux.

CHAPITRE VII

La première mesure que prit le missus dominicus dès qu'il eut quitté le couvent Saint-Pierre fut de transférer son quartier général au camp Saint-Irénée. Il avait envisagé un instant de l'installer à la résidence comtale, mais elle avait été marquée par tant de turpitudes, de forfaits et de crimes qu'il avait repoussé cette idée. Il lui était apparu qu'il en aurait été comme souillé. En outre, pour ce qui était à entreprendre, sa place était parmi ses miliciens.

Dans la grande salle du camp se trouvèrent donc réunis dans la soirée, sauf Doremus déjà à l'œuvre, tous ceux en qui le Saxon avait confiance et qui, d'une manière ou d'une autre, continueraient de participer à l'action entreprise : le frère Antoine et Timòthée, les deux valets Dodon et Jean, Arnold, Raoul le Rouvre, son fils Lucien et Lithaire, pas peu fière de se trouver là, ainsi que Benoît le forgeron. Erwin communiqua à tous ses instructions, disant qu'elles devaient entrer en application immédiatement.

A la nuit tombante, Benoît, accompagné de

Bertier le meunier et du drapier Sasson, entreprit une tournée qui les conduisit successivement à l'île d'Ainay, près de l'abbaye Saint-Martin, au pied de la Croix-Rousse dans le quartier Saint-Pierre, aux différents embarcadères et au départ des voies permettant de s'éloigner de Lyon ou d'entrer dans la ville. A tous ses amis, commerçants, artisans et autres, qui se trouvaient en ces différents endroits, il communiqua les consignes du missus : observer discrètement tous les mouvements qui se dérouleraient ; dès que se produirait le moindre incident, qu'interviendrait un déplacement inhabituel, prévenir immédiatement le missionnaire du roi. Bien entendu, toute intervention des guetteurs était exclue, quoi qu'ils aient pu observer. Tous ceux avec lesquels le forgeron prit contact pour leur confier une telle tâche se mirent immédiatement à l'œuvre, gonflés de fierté à l'idée qu'ils servaient le roi.

— Ça leur est d'autant plus facile, glissa le meunier à Benoît avec un clin d'œil, qu'épier son voisin est le passe-temps favori de compères et commères. Pour une fois, ils le feront avec bonne conscience.

Quant à Raoul le Rouvre, il avait été chargé par Erwin de reprendre une surveillance attentive des édifices épiscopaux et de leurs abords. Il organisa donc des rondes avec son fils Lucien et Lithaire, le valet Jean devant assurer la liaison indispensable avec le camp Saint-Irénée. Les ordres donnés au saltimbanque et à ses aides familiaux étaient analogues à ceux qu'avait reçus Benoît : avoir l'œil, avertir vite.

Par ailleurs, deux miliciens se présentèrent à la porte de l'évêché porteurs d'un ordre de mission qui les affectait à la garde de Marcellin, envoyé du Saint-Siège, et à celle d'Eldoïnus, faisant fonction d'évêque. Ils avaient, en outre, reçu la consigne d'effectuer des patrouilles à l'intérieur des édifices, sans négliger le débouché des souterrains. Celui qui veillait sur frère Yves devait se joindre à eux. Bien que l'évêque romain eût fait savoir qu'il estimait superflue la précaution qui le concernait, les miliciens n'en entreprirent pas moins leur surveillance avec le zèle qu'avait prescrit le missus dominicus. Arnold, pour sa part, avait pris position avec une vingtaine de vétérans à l'*Auberge des Quatre Cavaliers*, réoccupée pour la circonstance.

Un fort contingent, sous la conduite du frère Antoine, s'embarqua sur des *pontos* avant l'aube pour descendre au fil de l'eau jusqu'à proximité de ce camp qu'avaient repéré Doremus et Jean du côté de Condrieu. Aux dernières nouvelles il était vide, mais Erwin estimait que les événements pourraient lui redonner de l'importance avant peu. Quant au Goupil, après avoir fait rouvrir pour lui seul les bains du quartier Sainte-Eulalie où il bénéficia de tous les services que lui offrit une servante particulièrement dévouée et douée, il partit à la mi-nuit pour Belleville. Dodon, avant son départ, lui avait confié un ordre de mission dicté par le Saxon et qui demandait au maître du relais de placer la milice de cette cité sous le commandement de Timothée en tant que représentant du missus dominicus. Des consignes orales avaient accompagné cet ordre.

Erwin, lui, avait décidé de ne pas quitter le camp Saint-Irénée où devrait converger toutes les informations recueillies par l'ensemble de son dispositif et d'où devraient partir toutes les impulsions. Il avait conservé avec lui un volant de miliciens. Quelle que soit l'heure de la nuit il entendait être averti, et du moindre incident; quel que soit l'événement, il pourrait réagir promptement. Il se demandait pourtant s'il avait eu raison de répartir ses effectifs comme il l'avait fait au lieu de conserver la totalité de ses miliciens sous la main pour une action d'envergure.

De toute façon, la stratégie qu'il avait choisie était en cours d'exécution. Il se rappela cette maxime que son ami Childebrand tenait pour le comble de la sagesse militaire : « A suivre une stratégie, on n'est jamais sûr de vaincre, mais à en changer dans l'action on est certain de perdre. »

Rasséréné par cet adage et ayant bu son cordial du soir, un grand gobelet d'hydromel, Erwin s'allongea sur sa couche et se laissa gagner par le sommeil, après avoir ordonné qu'on le réveille à la moindre alerte.

Le premier renseignement provint des guetteurs situés près du couvent Saint-Pierre : un messager à cheval, dépêché sans doute par Emma, l'avait quitté en fin d'après-midi. Il avait pris au grand galop la route menant à Tassin après avoir traversé la Saône. De là, il avait pu se diriger vers le camp d'Yzeron. C'est ce que pensa le Saxon averti par Dodon, mais sans en avoir la certitude, car de Tassin partaient plusieurs voies non seulement vers l'ouest mais aussi vers le nord et vers le sud.

D'autres guetteurs postés à proximité de l'abbaye Saint-Martin firent savoir ensuite que deux cavaliers en étaient partis avant la nuit et avaient gagné la rive droite de la Saône. Les observateurs se trouvant au débarcadère de Saint-Laurent signalèrent leur passage. Ils indiquèrent qu'ils s'étaient rapidement dirigés vers les hauteurs... Vers Yzeron ?

Puis parvinrent au camp de Saint-Irénée, plus tard dans la nuit, des informations mentionnant le départ de Syri, une vingtaine, avec leurs familles. La plupart avaient pris aussi la direction de Tassin. Ceux qui étaient à l'affût précisèrent qu'il s'agissait apparemment de Levantins peu fortunés, à en juger par le chargement de leurs chariots. Certains hommes de triste réputation, voleurs, voire pire, auraient été reconnus. Le Saxon douta qu'une telle constatation ait pu être faite en pleine nuit, même par un beau clair de lune. Cependant, il fit immédiatement procéder à des vérifications aux domiciles de ceux qui avaient participé dans la journée à la réunion qu'il avait organisée. Elles permirent de constater que trois d'entre eux, dont, de manière inattendue, un Bourguignon, avaient pris la fuite. Benoît, qui avait fait la tournée de « ses gens », vint dire au missus que plusieurs s'étonnaient qu'on eût « laissé filer ces canailles ».

— Ils me sont plus utiles en fuite qu'en prison, répondit le Saxon. Cette réponse est pour toi. Quant à tes ouailles, dis-leur qu'envoyé du roi je commande et qu'à mon service ils obéissent.

A ce moment, Jean vint prévenir son maître que Raoul et son fils Lucien avaient observé des faits étranges dans leur secteur. A deux ou trois reprises, la porte principale de l'évêché s'était entrouverte ; deux hommes avaient montré le bout du nez comme s'ils s'apprêtaient à partir, puis, apercevant qu'ils étaient surveillés — « ils étaient à l'évidence très méfiants » —, ils avaient refermé le vantail précipitamment. Quant à Lithaire elle avait aperçu, près du chantier où l'on achevait de construire un édifice pour recevoir le roi, quelqu'un qui observait attentivement les alentours et avait paru rentrer dans l'évêché par quelque brèche dans la palissade.

— Je peux le confirmer, précisa le valet.

— Tu te trouvais donc près d'elle ? demanda Erwin.

— Oui, maître, j'étais venu lui dire qu'il était temps pour elle de regagner son logis. Mais elle n'en fait qu'à sa tête.

— L'as-tu cependant convaincue ?

— Oui, seigneur, elle a fini par m'obéir.

— Par t'obéir, Jean ? ponctua le Saxon en souriant. Quelle autorité, mon fils !

Plus rien de notable ne se produisit avant l'aube, et Erwin put dormir une couple d'heures avant de recevoir un messager qui le rassura sur le sort de Doremus et des miliciens qui l'avaient accompagné. Cela lui parut de bon augure pour la journée qui commençait.

Pourtant, le Saxon passa un début de matinée exécrable. Rien ne bougeait plus. Les guetteurs, qui avaient peu dormi, maugréaient en se demandant à quoi tout cela rimait. Les miliciens, impatients d'en découdre avec les rebelles, rongeaient leur frein. Les méchantes langues qualifiaient d'esbroufe les mesures prises par le missionnaire du roi. Trois ou quatre heures s'écoulèrent depuis l'aurore dans un calme exaspérant. Erwin n'avait pas touché à la soupe du matin et avait même refusé l'hydromel que Dodon lui proposait.

Soudain, vers la cinquième heure, le ciel s'éclaircit : un agent de liaison vint prévenir le missus qu'un groupe de cavaliers armés, une trentaine selon toute apparence, avait dévalé sur Tassin et se dirigeait vers Écully et Vaise. Erwin accueillit la nouvelle avec chaleur, ce qui se traduisit par un « Bien, bien, mon fils ! » adressé au messager qui fut invité à se faire servir un grand gobelet de vin.

— Apprête-toi à me suivre ! ajouta le Saxon.

Le chef d'escadron qui l'assistait fit sonner le rassemblement des miliciens auxquels il ordonna de s'équiper lourdement : casque et broigne, grand et petit glaives, lance et écu. Le détachement se mit immédiatement en route et se dirigea vers la ville basse. Il traversa la Saône à partir de l'embarcadère de l'évêché et prit position devant la basilique Saint-Nizier, face à l'abbaye Saint-Pierre, en bordure d'un terrain à peu près dégagé, de manière à pouvoir charger.

Erwin, lui, s'était rendu en hâte à l'*Auberge des Quatre Cavaliers*. Dès son arrivée, ce fut le branle-bas de combat. Le Saxon demanda aux miliciens de prendre un armement léger, arc, flèche et glaive court. Sous la conduite d'Arnold, ils franchirent eux aussi la Saône, mais à la hauteur de Saint-Paul. Ils se dissimulèrent par petits groupes vers le bas des sentes descendant de la Croix-Rousse, de manière à pouvoir battre avec leurs traits les alentours du couvent Saint-Pierre et à charger si nécessaire.

Le Saxon, lui, n'avait pas tardé à rejoindre la cavalerie lourde disposée devant Saint-Nizier. Là, il revêtit sa broigne, se coiffa du casque, ajusta son écu au bras gauche et saisit son épée que lui tendait respectueusement Dodon. Puis, à cheval, il se plaça devant ses gardes ayant à son côté le chef d'escadron, qui portait au bout d'une lance l'enseigne de la mission royale.

A intervalles réguliers, des guetteurs, qui avaient retrouvé leur allant, vinrent informer Erwin ainsi qu'Arnold de la progression de la colonne assaillante : elle avait traversé la Saône à hauteur de Vaise, elle suivait la rive gauche, elle approchait à vive allure, elle dépassait Saint-Vincent, elle allait atteindre Saint-Pierre. Bientôt, Arnold et ses miliciens, Erwin et ses cavaliers entendirent, puis aperçurent sa cavalcade : une trentaine de rebelles fondaient sur le couvent.

Une première volée de flèches s'abattit sur les attaquants, en tuant ou blessant quelques-uns et atteignant des chevaux sans empêcher que le gros de la troupe n'arrive jusqu'au portail fermé de l'édifice que certains commencèrent à entamer à coups de hache. Une deuxième, puis une troisième volée furent plus meurtrières. Plusieurs cavaliers furent jetés à terre par leurs montures transpercées de flèches.

C'est alors que le chef des assaillants, avisant les archers, les désigna à un peloton qui se disposa pour leur courir sus, tournant de ce fait le dos à Saint-Nizier. A cet instant, Erwin fit sonner la charge. Son escadron, avec une clameur sauvage, dans le martèlement des galops, fonça lances pointées sur les rebelles qui se trouvèrent attaqués par l'arrière ou de flanc et sans espace pour manœuvrer. Les lances transpercèrent hommes et chevaux ; puis s'engagèrent des combats à l'arme blanche, au corps à corps ; ceux d'Arnold accoururent alors, glaives brandis, avec des cris de victoire, pour prendre part à la curée. Les agresseurs, pris en tenaille, ne purent opposer qu'une résistance désespérée.

Le combat s'arrêta bientôt, le tumulte s'apaisa. On n'entendit plus que les plaintes et les cris de douleur des blessés, les hennissements des chevaux étripés et estropiés et les conversations à voix basse de ceux qui parcouraient le champ de l'affrontement pour achever ceux, hommes et animaux, qu'ils jugeaient trop atteints pour survivre.

Erwin, qui faisait disposer un cordon de miliciens afin d'empêcher l'irruption des badauds, qui déjà s'assemblaient, et d'éviter tout pillage, aperçut un homme revêtu d'une riche broigne qui gisait, gravement blessé, serrant encore son épée contre lui. Son casque avait roulé non loin. Un garde, coutelas en main, penché sur lui, s'apprêtait à l'égorger.

— Arrête ! lui lança le missus qui descendit de sa monture et s'approcha du guerrier à terre.

Il s'inclina et lui dit doucement :

— Comte Hugues, pourquoi as-tu fait cela?

— Ah! Erwin! murmura celui-ci. Erwin, rusé démon! J'aurais dû me douter que tu m'attendrais ici. Oui, je m'en méfiais même...

— Alors, pourquoi l'as-tu fait?

Le blessé eut un spasme de douleur.

— C'est pour cela, reprit-il péniblement, que tu as laissé filer les messagers de cet imbécile d'Ambroise... et aussi d'Emma, n'est-ce pas?...

Son visage se crispa.

— ... pour que j'accoure, démon de l'enfer? ajouta-t-il.

— Emma ne valait pas cela...

— Pour toi non, pour moi oui, articula Hugues difficilement. Tu te souviens... il y a huit ans... après ce coup qui a failli réussir?... Qu'on me donne à boire, ma poitrine me brûle!

Erwin lui fit verser une gorgée d'eau.

— Tu te souviens? Mon frère, deux de mes cousins... condamnés... étranglés... ma mère enfermée dans un couvent... Dieu que j'ai mal!

— Mais ils étaient coupables du pire des crimes! s'écria le missus. Conspiration et trahison! Et toi que Charles savait ne pas être innocent, toi, parce que tu avais été un brave parmi les braves, il t'a épargné, se contentant de te bannir!

— Sais-tu seulement ce que c'est que d'être banni! dit le comte, retrouvant un peu de force. Jamais, jamais je n'ai pardonné...

— Mais cette conspiration de la Salamandre dans laquelle tu as trempé à présent... Toi Hugues... cela est indigne de toi. Et tu le savais bien... Dis-moi cette charge, ici, tout à l'heure... tu savais aussi que je t'attendrais... Cette charge où tu n'avais pas une chance de t'en sortir... Je donnerais beaucoup pour ne pas avoir eu à faire ce que j'ai fait contre toi.

— Erwin, je ne regrette rien... alors ne regrette rien ! Quand j'ai quitté le camp d'Yzeron... là-haut... confusion... querelles... désordre... menaces... et lâcheté... Tu me vois, moi, comte Hugues, fuir et aller mendier asile n'importe où ?

Il eut un hoquet et cracha du sang.

Le Saxon se releva.

— Je vais te faire secourir, dit-il.

— Inutile !... Pourquoi ?... Pour que je sois guéri... jugé... condamné... étranglé comme mon frère ? Je sais que je vais mourir... Mais ici sur le champ de bataille, mon glaive en main.

A grand-peine, il se dressa à demi sur un coude.

— Promets-moi, Erwin, dit-il, que ni ma cuirasse... ni mon casque, ni le glaive que voici ne tomberont dans des mains indignes...

— Je te le promets sur ma foi.

— ... que je serai enterré en terre bénite.

Le Saxon acquiesça.

— Et dis à Emma, ajouta le moribond d'une voix exténuée, que j'ai payé ma dette de fidélité.

— Quoiqu'elle ne mérite pas ton sacrifice, je le lui dirai.

— Maintenant, laisse-moi mourir... en paix.

Erwin s'agenouilla pour la prière des agonisants.

Sur la trentaine d'assaillants, vingt avaient été tués ou considérés comme mortellement atteints, quatre ou cinq, au dire des témoins, avaient pu prendre la fuite, cinq, indemnes ou légèrement blessés, avaient été faits prisonniers. Ils allaient avoir beaucoup à dire.

Du côté de la milice, trois combattants avaient trouvé la mort et six avaient été plus ou moins gravement frappés.

Arnold fut chargé de récolter le butin : tuniques et autres vêtements, équipements et armes, objets précieux et argent, harnachements utilisables. Il serait réparti entre les gardes et les familles de ceux qui avaient été tués.

Les cadavres des rebelles, à l'exception de celui du comte Hugues, furent entassés sur des chariots et emmenés vers une fosse commune hors les murs. Quant aux chevaux morts, ils furent laissés sur place ; la population en tirerait ce qu'elle pourrait.

Les dépouilles des trois miliciens tués dans l'affrontement furent placés sur des coursiers qui les transportèrent, tandis que leurs camarades faisaient une haie d'honneur, vers la basilique funéraire épiscopale de Saint-Nizier toute proche, dans le cimetière de laquelle elles seraient inhumées plus tard.

Pendant qu'Arnold veillait à l'exécution de ces différentes tâches, le missus dominicus avait pénétré dans le couvent Saint-Pierre. Là, il signifia à la mère supérieure, qui s'était à peine remise de ses frayeurs, qu'Emma et ses compagnes devaient être considérées désormais comme des prisonnières au secret. Cependant il autorisa l'abbesse à annoncer à la sœur de Himiltrude la mort de Hugues et la chargea de remettre à celle-ci une tablette sur laquelle était inscrit le message de fidélité du comte moribond. Il releva les deux gardes qui s'étaient tenus pendant toute la durée des combats à l'intérieur, prêts à intervenir. Il les remplaça par trois miliciens légèrement blessés qui reçurent les consignes les plus strictes.

Puis Erwin rejoignit ses hommes qui l'acclamèrent en martelant leurs boucliers quand ils le virent sortir du couvent. Il salua leur accueil d'un sourire et se dirigea vers un petit groupe de guetteurs conduit par Benoît, Sasson et Bertier. Il les félicita sobrement mais avec la solennité convenable. Plus loin, il aperçut Jean qui était venu aux nouvelles. Il lui ordonna assez sèchement de regagner immédiatement son poste et de faire continuer la surveillance des édifices épiscopaux avec une attention et un zèle redoublés.

Sans perdre de temps, le missus dominicus reconstitua un escadron d'une trentaine de cavaliers. Il leur fit apporter comme collation de la mijournée des fruits, du pain, du lard et du fromage ainsi que des gourdes d'eau et des outres de vin. Lui-même, à cheval, mangea de grand appétit au milieu de sa troupe, échangeant quelques réflexions avec ses miliciens. Puis, après avoir fait prendre des dispositions de départ, il appela Arnold près de lui.

— Nous allons nous rendre à Thurins en passant par Brindas, lui dit-il. Si nécessaire, nous remonterons la rivière jusqu'à Saint-Martin.

— Thurins, Saint-Martin, s'étonna son lieutenant. Mais le camp d'Yzeron...

240

— Tu ne penses tout de même pas, coupa Erwin, que le gibier va nous attendre au gîte ?

— Tu as raison, seigneur. La vallée du Garon, Thurins, je connais bien cette région, je pourrai donc...

— Je le regrette, interrompit à nouveau le Saxon, mais ta place est ici. Il reste encore beaucoup à faire, ne serait-ce que prendre soin des blessés et rassurer la population. J'ai besoin en la ville de quelqu'un qui puisse parer à toute éventualité. Mes assistants sont au loin. Si tu n'y veilles, qui y veillera ? Vois cette ville, Arnold. J'en ai la responsabilité. Je t'en confie la garde.

— Cela m'honore et je t'en remercie, seigneur, répondit Arnold d'un air, malgré tout, dépité.

— Ah ! ajouta Erwin, envoie un messager à Doremus, qui doit se trouver avec son peloton quelque part entre le col de Malval et Yzeron, pour l'avertir de mon mouvement !

Et l'escadron s'ébranla sous les encouragements salaces des combattants qui demeuraient sur place et les acclamations de la foule qui avait accouru nombreuse.

Cette même journée, avant l'aube, Doremus et ses miliciens avaient levé le camp et étaient repartis en direction d'Yzeron. Cheminant sous le couvert de halliers et se guidant grâce à la couleur laiteuse de la nuit à l'est, ils avaient progressé vers le camp des rebelles en redoublant de prudence. Ils s'étaient déployés comme la veille, en éclaireurs, de façon à ne pas être repérés par une patrouille, sachant que, cette fois-ci, l'effet de surprise ne serait plus en leur faveur. Cependant, ou bien les sentinelles ennemies se tenaient à poste fixe, silencieuses et en embuscade, ou bien leur surveillance s'était relâchée. S'enhardissant, Doremus et ses gardes parvinrent jusqu'à un promontoire boisé qui dominait la vallée de l'Yzeron et d'où l'on pouvait apercevoir assez distinctement le camp de la Salamandre. Ils découvrirent sur place avec surprise les cendres d'un feu de bivouac récent. Le poste d'observation que constituait le promontoire avait donc été occupé, ce qui était une précaution élémentaire. Mais pourquoi alors avait-il été abandonné ?

Doremus, après avoir mis en place un dispositif de sécurité, commença à observer le camp comme le lui prescrivaient les instructions du missus dominicus, lesquelles excluaient que sa troupe intervînt de quelque manière que ce fût, sauf nécessité absolue. Ce qu'il vit dans les premières lueurs du jour lui parut stupéfiant.

Dans une des parties du campement, on avait apparemment démonté toutes les tentes. Il aperçut des fourgons qui semblaient chargés et étaient entourés de cavaliers. Un jeune garde qui était près de lui et passait pour avoir une vue d'aigle lui affirma qu'il s'agissait de Syri, en raison de leurs équipements. Tout à coup, d'autres cavaliers surgirent et tout devint confus. Attaqués, les Syri, ou supposés tels, en manœuvrant habilement leurs chariots, organisèrent en un instant une résistance vigoureuse. Le combat fut violent mais bref. Les agresseurs refluèrent, laissant des corps sur le terrain. Le convoi des Levantins se reforma et, encadré par ses gardiens vainqueurs, fit mouvement sur le chemin qui s'éloignait du camp, vers les hauteurs à l'ouest.

— Mais où peuvent-ils bien aller dans cette direction? demanda Doremus au jeune milicien qui se tenait à côté de lui.

— Ce chemin ne va vers l'ouest que sur une demi-lieue, juste pour contourner cette rivière à sa source, répondit celui-ci. Ensuite il file franc sud.

— Bien, et après?

— Mais où veux-tu qu'ils aillent, maître? Ils vont descendre et rejoindre le Rhône!

Cette précision plongea l'assistant d'Erwin dans un long silence préoccupé. Il reprit son observation. En bas, pendant près d'une heure, rien ne se produisit plus d'important : quelques rassemblements soudains et agités, ici et là. Puis surgit une troupe de cavaliers, une trentaine environ, qui, au galop de leurs chevaux, commencèrent à descendre la vallée de l'Yzeron, en direction de Lyon. Comme elle passa juste au-dessous du promontoire où se tenait Doremus, celui-ci reconnut aisément les armures, les casques et les harnachements propres aux Francs. Leur équipement, leur allure, leur discipline, tout indiquait qu'il ne pouvait s'agir ni de bandits ni de mercenaires d'occasion, mais bien d'hommes d'armes. Impressionné par leur impétuosité, il eut une pensée inquiète pour son maître et pour les miliciens qui étaient demeurés à Lyon afin d'en assurer la sécurité, se demandant quelles dispositions ils avaient bien pu prendre pour faire face à cette menace qui déferlait vers eux. Il songea un instant à entamer la poursuite. Mais les ordres qu'il avait reçus étaient formels. Il demeura, la rage au cœur, à son poste.

Puis il se reprit. Que restait-il du complot ? La réponse était sous ses yeux : Hendrik et la bande des Mustelles, Crispo le Rouge et celle des Foustes. Il pouvait reconnaître sans peine leurs campements séparés mais semblables, avec leurs grandes tentes familiales, leurs sentinelles nonchalantes, les feux devant les auvents de toile, les femmes s'affairant à la préparation des repas, les enfants jouant alentour ; dans des parcs, des moutons, de la volaille caquetant ; les chevaux à l'attache ; bref, tout le train des bandes. Et en dehors de cela ? A l'écart une demi-douzaine de petits pavillons de toile prétentieux, à côté desquels se trouvaient trois, peut-être quatre chariots, en cours de chargement. Vingt-cinq à trente personnes dont apparemment plusieurs femmes — tout ce qui restait des conspirateurs, en tout cas à Yzeron — achevaient de seller des chevaux. Doremus, qui connaissait bien le monde de la truanderie, eut le pressentiment que les choses n'en resteraient pas là.

Il n'attendit pas longtemps avant d'observer que plusieurs dizaines de bandits, armés, se faufilaient entre les tentes du camp de Hendrik, et convergeaient vers le lieu où s'achevaient les préparatifs de départ. Dès qu'ils furent arrivés à proximité, ils se lancèrent à l'assaut. Là, il n'y eut pas de combat. Les conducteurs qui étaient déjà sur les chariots furent égorgés et ceux qui voulaient les défendre expédiés dans l'autre monde en un clin d'œil. Une quinzaine de cavaliers parvinrent à prendre la fuite, à vrai dire sans difficulté. L'ancien rebelle comprit que la seule chose qui intéressait Hendrik était les chariots et leur chargement, et que celui-ci n'estimait pas nécessaire de risquer la vie d'un seul de ses hommes pour poursuivre des comploteurs aux abois.

Devançant la question de son chef, le jeune milicien qui était son observateur lui dit :

— Ils ont pris le chemin de Thurins. De là, ils pourront soit regagner Lyon...

— Cela m'étonnerait.

— ... soit retrouver le Rhône en amont de Vienne.

— Plutôt ça, ponctua Doremus.

Seraient-ils interceptés ? Au contraire des Levantins, la manière dont ils avaient fui n'en faisait pas une troupe bien dangereuse.

Dans le camp, des manifestations de joie avaient accompagné la déroute des derniers conjurés et la prise des chariots. Hommes et femmes étaient accourus pour assister à l'inventaire. A chaque découverte précieuse, ils manifestaient bruyamment leur satisfaction.

L'attention de Doremus fut alors attirée par un autre événement : dans l'allée qui séparait les Foustes et les Mustelles, une quinzaine de combattants étaient entrés, semblait-il, dans une discussion assez vive. Le milicien qui était à côté de lui précisa qu'elle était menée par deux hommes entourés chacun de gardes du corps. A en juger par les gesticulations qui accompagnaient l'altercation, il pouvait s'agir du butin qui venait d'être pris. Doremus se souvint de l'appréciation portée par le maître du relais de Belleville, telle que l'avait rapportée Timothée, sur Crispo le Rouge : une brute dirigeant une bande de pillards et d'assassins, cruel sans nécessité, menant sa troupe au jour le jour. Hendrik, tel qu'avait pu l'observer l'ancien rebelle, c'était une tout autre entreprise : une bande organisée, des opérations ambitieuses et réfléchies, une renommée dans le monde du vol et du crime et aussi... un trésor enviable... donc envié. Comment Crispo aurait-il pu ignorer qu'à la différence des Foustes, les Mustelles étaient riches ?

Les uns et les autres avaient été liés jusque-là par un même intérêt, une même espérance. L'intérêt ? Les sous d'or versés, au fil des jours, par les comploteurs. Qu'en restait-il ? Les Syri avaient préservé leurs *numismas*, en repoussant l'assaut dirigé contre eux. Quant aux sources lyonnaises de deniers, elles étaient évidemment taries avec l'écroulement du complot. Seul demeurait le contenu des derniers chariots. Quant à l'espérance, celle d'un butin fabuleux après l'attaque du convoi royal, il n'en restait plus rien. Elle s'était transformée en craintes mortelles.

Doremus croyait entendre Crispo exiger de Hendrik sa part sur l'ultime capture au nom d'une opération menée en commun, tandis que Hendrik plaidait le chacun pour soi, cette solidarité étant devenue sans objet. En vérité, ils devaient savoir l'un et l'autre quel était le véritable enjeu : le trésor des Mustelles.

L'assistant du *missus dominicus* pensa à cet instant au message qu'il avait confié la veille à des sentinelles ineptes et qui, quels qu'aient été celui ou ceux qui l'avaient recueilli, ne pouvait qu'accroître défiance et méfiance, contribuant à dresser les bandits les uns contre les autres. Il comprit avec un frisson que des mots pouvaient envenimer des plaies jusqu'à les rendre mortelles, qu'ils pouvaient tuer plus sûrement que des glaives. Ce qu'il avait observé depuis des heures, ce qui allait inévitablement se produire, cela n'en constituait-il pas la preuve la plus sanglante ?

Dans le camp de la Salamandre, plus la discussion se prolongeait, plus l'agitation s'accroissait. Dans chaque campement, les menaces se précisaient : des hommes en armes convergeaient furtivement vers le lieu de l'affrontement, toujours verbal, entre Crispo et Hendrik ; les femmes mettaient les enfants à l'abri sous la surveillance des plus âgés, puis se rendaient aux chariots pour y atteler les chevaux à toutes fins utiles ; certaines mêmes, arc en main, carquois à portée, s'apprêtaient à jouer leur rôle dans un éventuel combat.

Tout à coup, une stupeur sembla immobiliser tous les protagonistes : l'un des gardes du corps, de Hendrik ou de Crispo, transpercé par une flèche, était tombé comme une masse. Une clameur sauvage s'éleva bientôt, marquant le début d'une bataille sans merci. Mettant en œuvre toutes leurs forces, usant de toutes leurs ruses, avec acharnement, avec cruauté, chacune des deux bandes entreprit d'exterminer l'autre. Tantôt des combats singuliers opposaient jusqu'à la mort des adversaires acharnés, tantôt des groupes s'affrontaient dans des assauts aussi sournois qu'impitoyables. Au détour des tentes ou près des chariots c'étaient des embuscades sanglantes ; ailleurs, plusieurs assassins s'acharnaient sur un adversaire isolé. La masse des forcenés qui s'entre-tuaient, en s'égorgeant, s'étripant, se mutilant, semblait capable de perpétuer une horreur sans fin.

Le combat dura très longtemps avec des flux et des reflux. Doremus et les siens s'étaient assemblés au bord de leur promontoire et observaient cette boucherie, qui n'avait pas de cesse, au milieu des tentes écroulées et des chariots renversés, d'où s'échappaient des enfants épouvantés, frappés, tués au passage par des monstres armés, pour rien, par pure malignité ; des femmes couraient çà et là en hurlant, comme folles ; d'autres étaient à terre, blessées, agonisantes, piétinées par les animaux, brebis et chèvres, chevaux et même porcs, qui tournaient en rond dans le désordre et le tumulte, pris de panique.

Le camp compta bientôt plus de morts que de vivants et la Faucheuse continuait d'engranger sa sinistre moisson. Puis, peu à peu, comme à regret, dans ce lieu ravagé, l'ardeur de la bataille déclina, non que manquât le désir de saccager et de tuer, mais faute de combattants. Du camp, soudain, s'échappèrent trois chariots précédés de cinq cavaliers qui prirent la direction de l'est sur la voie longeant l'Yzeron. Ils passèrent au pied du promontoire. « Crispo le Rouge », indiqua un milicien en désignant un homme à tignasse rousse qui chevauchait en tête des fuyards.

Le dieu de la guerre avait donc désigné une fois encore en cet affrontement impitoyable et sordide un vaincu et un vainqueur. Mais quel vainqueur ? Un petit groupe d'hommes et de femmes exténués, aux vêtements déchirés et couverts de poussière, qui s'étaient rassemblés autour d'un chariot et qui n'eurent même pas la force de pousser des cris de victoire. Tels étaient désormais les seuls maîtres du camp de la Salamandre qui était devenu désolation et charnier. « Les seuls maîtres mais pas pour longtemps », murmura Doremus. Ne pas intervenir sauf nécessité absolue, avait ordonné Erwin. Mais pouvait-on laisser s'enfuir les débris d'une bande et avec eux un butin qui était le fruit de cent pillages et meurtres ? Avec ce trésor, un Hendrik ne pourrait-il pas constituer de nouveau une troupe de brigands qui mettraient à sac plaines et monts ? Écraser dans l'œuf ces vipères, n'était-ce pas un cas de nécessité absolue ?

L'assistant du missus se tourna vers son guide :

— Hendrik et le reste de sa bande vont certainement essayer de regagner leur propre camp où ils ont peut-être laissé une garnison. C'est au-dessus de Condrieu après le col de Chassenoud, précisa-t-il. Hendrik sera ralenti par ses chariots. Par où peut-il alors passer ?

— Pas par la vallée du Rhône, maître, car il y a là, pour lui, tout à craindre, répondit le milicien. Il leur faudra traverser le Gier. Mais d'ici à cette rivière, il ne peut prendre que par les hauts.

— Ce qui veut dire qu'ils vont partir d'ici...?

— De toute façon par l'ouest.

— Comme les Levantins ? A l'opposé de l'endroit où ils se trouvent en ce moment ?

— Je le pense, maître.

— Eh bien, allons-y !

Doremus et ses compagnons, après avoir entouré les sabots de leurs chevaux de gaines d'herbes sèches pour en atténuer le martèlement, entreprirent de contourner le camp, le plus silencieusement possible, de manière à déboucher sur son allée centrale à son extrémité ouest. Hendrik et les siens étaient si occupés par leurs préparatifs de départ qu'ils n'aperçurent, avec stupeur, la nouvelle menace qui fondait sur eux — alors qu'ils croyaient tout danger écarté — qu'au moment où les miliciens étaient en train de charger. Les bandits brandissaient déjà leurs glaives pour une défense au corps à corps quand, soudainement, les attaquants cabrèrent leurs chevaux et, à courte distance, firent pleuvoir sur eux une grêle de flèches. Trois volées se succédèrent rapidement, semant la mort autour de Hendrik. Il ne restait plus avec lui que trois ou quatre éclopés et, derrière un chariot, se dissimulant tant bien que mal, des femmes épouvantées et des enfants.

Doremus s'approcha. Hendrik était indemne. Seul, parmi les siens, il portait une broigne, ce qui lui avait sans doute sauvé la vie. Quand il aperçut l'ancien rebelle, il entra dans une rage délirante, déversant sur lui les injures les plus insultantes :

— Doremus, fils d'un pourceau et d'une chienne lépreuse, avorton d'avorton, tu es donc ici, charognard, éructa-t-il. Oui, comme un charognard partout où il y a de la viande morte pour bouffer les tripes, chiure de charognard.

Il découvrit un coffre placé sur le chariot.

— Mais ces tripes-là tu ne les auras pas, tas de

merde ! Tu n'en as pas assez sous la tunique pour venir y goûter. Regarde autour de toi, fripouille !

Il désigna d'un geste large les cadavres qui jonchaient la terre.

— Pour chaque sou, un mort, pour chaque mort, un sou ! Et tu me les prendrais, charognard ? Ils sont à moi, tu entends, et à tous ceux qui sont ici, oui, ici, morts mes compagnons, mes braves compagnons... Et toi...

Doremus ne répondait rien. Peu à peu le délire s'apaisa, puis s'arrêta.

— Je viens, dit l'adjoint d'Erwin qui descendit de cheval, tira son glaive et s'avança vers le bandit.

— N'y va pas, maître ! lui cria un garde. Il porte une broigne et toi, tu n'en as pas !

Doremus avançait toujours. Le bandit s'élança vers lui, son arme levée, avec des cris furieux. L'ancien rebelle évita le choc d'un pas de côté au dernier moment. Hendrik qui l'avait dépassé n'abattit son arme que sur le vide. Il en fut déséquilibré. A peine eut-il le temps de se redresser et de se retourner que Doremus, frappant de taille, à la volée, lui avait tranché la tête qui roula sur le sol. Ce fut si soudain et si brutal que les miliciens en restèrent pétrifiés. Ils regardèrent avec une crainte superstitieuse leur chef qui essuya son arme à la tunique même du mort et lança à voix haute d'un ton farouche :

— Là, il en a eu vraiment pour ses cinq dinars !

Puis indiquant les quelques bandits survivants, tous blessés, il dit à deux gardes :

— Achevez-les, par miséricorde ! Évitez-leur de périr suppliciés.

Après avoir placé le coffre des Mustelles sous la protection de quatre des siens, Doremus, escorté par deux miliciens, commença à inspecter le camp ravagé en vue d'établir un premier bilan. Il en avait déjà parcouru plusieurs allées quand apparut sur la route venant de Lyon un cavalier qui approchait avec prudence. Quand il entra dans le camp, sa monture évitant avec peine de fouler les cadavres de ses sabots, il fut frappé de stupeur à la vue du saccage et du carnage. Apercevant l'ancien rebelle qui s'approchait de lui, il porta la main à son glaive. Puis il le reconnut.

— Ah ! c'est toi, maître, dit-il avec soulagement.

Il jeta de nouveaux regards autour de lui.

— Mais, par tous les démons, que s'est-il donc passé ici ? parvint-il à articuler.

— Tout à l'heure ! répondit Doremus. D'abord ceci : m'es-tu envoyé par notre missus ?

— Oui, oui... Pardonne-moi... Mais en voyant tout cela... Oui, je suis envoyé par lui et voici son message !

Il fit alors compte rendu de la bataille qui s'était déroulée aux abords du couvent Saint-Pierre et indiqua que le Saxon, après cette victoire, s'était rendu à Thurins, à la tête d'un fort contingent.

Doremus en fut soulagé. Il décida d'y envoyer ce même messager pour tenir le missionnaire du roi au courant des événements qui venaient de se dérouler au camp de la Salamandre. Après les avoir relatés, il souligna :

— Voici ce que tu dois en retenir : d'abord, un convoi assez important de Syri, bien armés, est parti vers le sud, par les monts. Pourra-t-il être intercepté ? Notre maître verra... Bon. La troupe des Francs qui dévalait vers Lyon... Si je t'ai bien compris, hors de combat.

Le messager approuva.

— Ceux qui sont partis vers Thurins ? poursuivit le chauve.

— Devant Erwin et ses miliciens, je ne leur donne pas une chance.

— Moi non plus !... Crispo le Rouge et les débris de sa bande ? Il va sans doute essayer de regagner sa bauge du côté de Belleville...

— Il n'y est pas encore, estima le garde. Et puis je sais qu'un assistant de ton maître, ce Grec avec un collier de barbe, est parti mobiliser la milice de cette cité.

Doremus éclata de rire.

— Eh bien, on va voir notre Timothée à l'œuvre... dit-il. Quant à la bande des Mustelles, tu as vu. Dis bien au maître que nous n'avons eu aucune perte.

— Et Hendrik ?

— Si tu cherches bien, tu trouveras sa tête dans la poussière, quelque part, de ce côté-là.

— On va danser dans les villages, se réjouit le messager.

— Rien de plus ? demanda Doremus.

— Si. D'autres Syri, en convoi, ont quitté Lyon, de nuit. Ils ont pris par la vallée du Rhône. Mais ils vont sans doute tomber, vers Condrieu, sur un fort contingent de miliciens conduits par ton ami qu'on appelle à Lyon « le moine aux couteaux ».

— Frère Antoine à Condrieu ? Excellent ! Maintenant, regarde autour de toi ! Des chevaux, toutes sortes d'animaux, de la volaille, des tonneaux de vin, de la farine, de l'huile et du miel, des tapis, des coffres, naturellement des tentes et des chariots, un peu partout des équipements, des vêtements, des armes... et bien d'autres choses... Des richesses...

Doremus, avec un geste large du bras, ajouta :

— Mais aussi ces femmes, ces enfants qui errent, retournent les morts et se lamentent. Et combien de cadavres à enterrer !...

Le moine ferma les yeux, puis reprit :

— Dis à notre maître quel butin il y a ici... Le garder, le transporter, le mettre en lieu sûr... Dis-lui qu'avec mes hommes je reste ici, que j'y attends des renforts. Insiste bien sur ce point.

— Mais que pourrais-tu craindre désormais ?

— Ce que je crains...? commença Doremus. Mais, rien... Je vais commencer à mettre en ordre les choses et ce qui reste de vivant... Maintenant, va ! J'espère qu'à Thurins tu trouveras bien notre missus dominicus — que Dieu le bénisse ! Bon ! Fais vite ! Et je te le répète : de toute façon nous ne bougerons pas d'ici.

Une fois le messager parti, l'assistant d'Erwin rassembla ses miliciens. Il n'était pas, en fait, sans craintes. L'or que contenait à profusion le coffre des Mustelles, et qui avait déjà fait couler des flots de sang, n'allait-il pas à nouveau corrompre les âmes et subjuguer les esprits, soumettant les miliciens à la tentation? Les femmes qui commençaient à se montrer, les plus hardies s'approchant même des vainqueurs avec des façons provocantes, n'allaient-elles pas susciter des manquements à la discipline lourds de conséquences? Quant au vin, il n'y avait qu'à se servir... mais à quels excès l'ivresse ne conduit-elle pas!

L'ancien rebelle organisa ses tours de garde de façon que les miliciens soient toujours occupés et se surveillent les uns les autres; il interdit de toucher au vin et aux femmes, le vin parce qu'il s'agissait d'un butin dont seul le missus pouvait disposer, les femmes parce qu'elles ne pourraient être déclarées esclaves que par jugement, et qu'en attendant toute violence serait sanctionnée par le paiement d'une amende élevée. Les coquettes qui tournaient autour des gardes dans l'espoir, peut-être, d'un adoucissement de leur sort, furent requises de préparer, allumer et entretenir les feux et de faire la cuisine, les vivres ne manquant certes pas.

Malgré tout, l'assistant d'Erwin ne dormit guère, faisant des rondes incessantes, surveillant ses hommes, les changeant constamment de poste, appelant à une vigilance accrue sous le prétexte d'une éventuelle irruption de bandits. Il lui sembla bien qu'à deux ou trois reprises certains gardes s'étaient éloignés furtivement, mais, n'ayant entendu ni cris, ni appels à l'aide, il préféra fermer les yeux. Néanmoins, ce fut une nuit sur le qui-vive.

L'aube vint sans incident. Ses subordonnés avaient fait preuve d'une discipline raisonnable. Il autorisa un peu de vin à la collation du matin et feignit de n'avoir pas remarqué quelques absences un peu prolongées. Mais il ne se sentit vraiment sorti d'affaire que lorsqu'il vit arriver en fin de matinée le missus dominicus et son escorte. Il se précipita vers lui et s'inclina :

— Je suis heureux de te voir, seigneur, dit-il.

— Je ne le suis pas moins, Doremus.

Le Saxon regarda lentement autour de lui.

— Le messager m'a pourtant averti, mais, par le Christ, quel spectacle ! s'écria-t-il.

Puis regardant son adjoint avec un sourire :

— Mais, dis-moi, lui lança-t-il, ne m'aurais-tu pas désobéi ? Du moins, à ce que j'ai compris ?

— Nécessité absolue, maître...

— Oui, oui, c'est cela, rusé compère !... Rassure-toi : il n'y a que les imbéciles pour obéir aveuglément aux ordres, même quand ils sont devenus ineptes. Tu as bien agi !

L'ancien rebelle inclina la tête en signe de remerciement et de respect.

Tandis qu'Erwin, Doremus et leurs lieutenants s'entretenaient, à part, des mesures à prendre dans l'immédiat, tous les miliciens présents se retrouvèrent pour le repas de la mi-journée. Les exploits des uns et des autres, déjà glorieux, enrichis par l'imagination et la faconde, devinrent titanesques. La décapitation de Hendrik égala celle de l'hydre de Lerne, la stratégie de l'abbé saxon amenant les conspirateurs à s'entre-tuer le disputa en habileté à celle d'Ulysse. Les gardes qui accompagnaient le missus se firent gloire de la capture à Thurins d'une quinzaine de traîtres, dont l'ancien comte

Rothard, un certain Norbert, un Alaman nommé Adalrich, des hommes d'armes et même deux femmes de haut lignage, parfaitement de haut lignage ! Une partie de l'escadron avait ramené tout ce monde à Tassin pour y être provisoirement détenu. « Belle prise assurément », reconnurent ceux de Doremus, mais cela pouvait-il être comparé à l'extermination de deux bandes redoutables et à un butin digne du trésor des Avars[1] ? Quand on commença à recenser et à récolter ce que les conspirateurs et les bandits avaient abandonné sur place, les miliciens d'Erwin furent bien obligés de concéder qu'il y avait en effet « belle moisson à engranger ».

Le soir, un messager vint informer le représentant du roi que le frère Antoine et son détachement avaient fait tomber dans une embuscade, près du camp de Condrieu, les Syri qui avaient fui Lyon. Cinq de ceux-ci avaient été tués dans l'engagement, trois autres avaient pu s'échapper, une douzaine avaient été capturés, sans compter les femmes et les enfants. Les miliciens avaient perdu l'un des leurs.

— Ainsi, commenta Doremus mis au courant, il ne reste plus dans la nature que Seneb et les Syri qui sont partis hier matin d'ici même.

— Peut-être, répondit le Saxon, pensif.

Il ne fallut pas moins de deux journées pour

1. En 796, Pépin, roi d'Italie, fils de Charlemagne, s'était emparé du trésor des Avars, peuple asiatique installé en Europe centrale. Ce trésor passa, à l'époque, pour la prise la plus fabuleuse de tous les temps.

enterrer les morts, faire le recensement des survivants, femmes et enfants, rassembler les animaux qui erraient, ramasser méthodiquement le butin et en charger les chariots. Aux villageois qui avaient peu à peu regagné Yzeron et avaient aidé les miliciens pour ces travaux, Erwin fit don de la volaille, de porcs et de brebis, ainsi que de deniers pour compenser les dommages qu'ils avaient subis.

Après une dernière inspection, le missus, estimant que le nécessaire avait été fait, et bien fait, donna le signal du départ. Le convoi, par la vallée de l'Yzeron, prit la direction de Lyon. A Tassin, il retrouva le détachement de cavalerie qui y gardait les prisonniers faits à Thurins, ainsi que celui du frère Antoine avec les Syri capturés aux abords de Condrieu. Avant de retrouver la ville, on fêta la victoire entre soi, entre combattants. Erwin, entouré, acclamé, adressa à ses miliciens ce morceau d'éloquence :

— C'est bien, bien, mes fils ! dit-il. Oui, c'est bien !

Et on l'entendit même ajouter :

— C'est très bien, mes enfants !

A Lyon, Arnold, prévenu, accélérait les préparatifs pour recevoir les vainqueurs.

CHAPITRE VIII

Le cortège triomphal du missus dominicus entra dans Lyon, par la rive droite de la Saône, en amont du quartier Saint-Paul. A la porte même de la ville, il y fut accueilli par une délégation d'artisans et de commerçants, de bateliers et aussi d'agriculteurs, de vignerons et de bergers, tous porteurs de cadeaux qui symbolisaient leur labeur et leurs arts. Puis des femmes vinrent offrir aux vainqueurs du vin et des gâteaux, tandis que des enfants tendaient vers eux des rameaux de lauriers et des fleurs. Le Saxon constata, non sans émotion, qu'on avait pensé à lui offrir, à lui, de l'hydromel.

Dans les rues décorées à profusion de branchages, de banderoles et de bouquets fixés à des poteaux, devant toute la population massée sur le parcours, le cortège un instant arrêté par la cérémonie des offrandes reprit sa marche sous les acclamations.

En tête chevauchaient le missionnaire du souverain, ayant à son côté le chef d'escadron porteur de son enseigne, et, juste derrière eux, Doremus et le frère Antoine, salué au passage par des plaisanteries affectueuses. Arnold précédait immédiatement un détachement de cavaliers ayant conservé tout leur équipement lourd et qui fit impression.

Puis venait un premier groupe de prisonniers. A pied marchaient Rothard, Norbert et Adalrich qui s'efforçaient de plastronner encore. Sur un *carpentum*[1] avaient pris place deux femmes, portant riche tunique, et auxquelles les commères lançaient au passage des railleries. Derrière progressaient une quinzaine de Francs, dont des blessés, tout ce qui restait de la conspiration. Tous étaient protégés par un cordon de miliciens, car nombreux étaient les Lyonnais qui avaient assisté à la délivrance des pitoyables prisonniers du comte, ou en avaient entendu le récit, et qui abreuvaient à présent celui-ci d'injures, certains même tentant de lui faire un mauvais parti.

Suivaient d'autres prisonniers, des Syri, encadrés par Benoît et ses guetteurs, fiers d'être à l'honneur. Un nouveau peloton, de cavalerie légère, veillait ensuite sur la longue théorie des chariots, conduits par des femmes, et qui transportaient l'impressionnant butin, puis, en queue, d'autres femmes, Levantines ou compagnes de brigands, avec des enfants. Un détachement de gardes, à pied, fermait la marche.

Le cortège, sans cesse ralenti par les acclamations et par les dons, mit plus d'une heure pour aller de Saint-Paul à Sainte-Eulalie à l'autre extré-

---

1. Sorte de chariot surtout à usage militaire.

mité de la ville intra-muros. Mais à partir de là, des hommes et des femmes venus de tout le diocèse faisaient une haie d'honneur, et Erwin reçut encore cent cadeaux offerts par tous ceux qui étaient enfin débarrassés des bandits et qui tenaient à lui témoigner leur gratitude, offrandes d'hommes libres, de colons et même d'esclaves. Elles s'accumulaient sur un fourgon que le Saxon avait fait venir à sa hauteur pour recevoir le fruit de la reconnaissance et dont le chargement, sans cesse accru, était comme la preuve visible de sa renommée grandissante.

Erwin n'en avait pas la tête tournée. Ceux-là mêmes qui l'acclamaient à présent n'étaient-ils pas prêts, il y a peu, à l'accabler de reproches? Ne recommenceraient-ils pas à la moindre traverse?

Au camp de Saint-Irénée, après avoir placé sous bonne garde le coffre des Mustelles, et autres richesses telles que bijoux, pièces d'or, ainsi que les armures et glaives de Hugues, Rothard, Norbert et Adalrich considérés comme butin du roi, il commença par attribuer à sa milice les broignes, casques, boucliers et glaives des rebelles morts ou prisonniers afin d'en compléter l'équipement. Puis il fit la part de ce qui revenait aux familles des miliciens tués. Ceux qui avaient participé directement aux opérations, notamment gardes et guetteurs, reçurent selon leur engagement des gratifications telles que farine et huile, étoffes et deniers.

Pour Raoul le Rouvre, le Saxon avait prévu une récompense exceptionnelle. Il le fit venir pour lui annoncer qu'il pourrait disposer désormais de trois chevaux, de deux chariots, de tentes et de matériel de campement pour présenter ses tours dans toute la province comme il en avait le projet. Le saltimbanque se répandit en remerciements, mais se retira l'air soucieux, ce qui ne laissa pas d'intriguer Erwin.

Quant aux prisonniers, Rothard, Norbert et Adalrich furent incarcérés au monastère de l'île Barbe et les deux femmes, qui avaient été capturées en même temps qu'eux à Thurins, au couvent Saint-Pierre. Les autres captifs furent dirigés sur deux entrepôts situés en bordure de la Saône où étaient détenus, ordinairement, les esclaves en transit. L'un fut réservé aux hommes, l'autre aux femmes et aux enfants. Le Saxon interdit tous sévices ou brimades.

Bien que dans son esprit l'affaire ne fût pas à son terme, il ne put empêcher la population de faire la fête comme si elle l'était. Ce furent deux jours de liesse avec ripailles et beuveries, des tonneaux de vin ayant été mis en perce à tous les carrefours.

Sur le parcours du cortège, Erwin avait bien aperçu, figurant dans la foule, des membres de la communauté juive, mais, naturellement, pas de Levantins. Sans doute, après la participation avérée de Syri à la conspiration, et tandis que certains se trouvaient au nombre des prisonniers qui défilaient, même ceux d'entre eux qui n'étaient pas coupables auraient-ils risqué en se montrant d'être injuriés, molestés, voire pire.

Le missus dominicus reçut discrètement Nicomède accompagné de deux riches commerçants levantins et, d'un ton sévère, souligna que

262

ses soupçons concernant la culpabilité de certains membres de leur communauté se trouvaient malheureusement justifiés. Cependant, admit-il, si, malgré cela, des Syri, commerçants et artisans, étaient demeurés à Lyon, c'était sans doute qu'ils n'avaient rien à se reprocher. Néanmoins, il demanda à ses interlocuteurs de lui fournir des gages, à quoi ils s'engagèrent.

Il eut aussi une entrevue avec une délégation juive conduite par Ammorich. Certes, les Juifs n'étaient pas impliqués dans le complot. Mais la participation d'étrangers à cette conspiration de la Salamandre avait jeté sur eux aussi une ombre de suspicion. Le gaon crut devoir réaffirmer que le représentant du roi Charles pouvait compter sur l'appui total des siens. Erwin enregistra cette promesse et exposa à Ammorich de quelle manière il pourrait dans l'immédiat donner la preuve de ce dévouement.

— J'exige, ajouta-t-il, que toute querelle cesse entre ceux qui assurent la prospérité de cette ville et servent le roi, Levantins compris. Si l'on veut que se taise la calomnie contre ceux qu'on nomme « étrangers », il faut qu'elle se taise aussi contre les Syri honnêtes et loyaux, et que tous — entendez-moi bien —, tous collaborent pour le bien du royaume.

Le surlendemain de son retour à Lyon, le Saxon et ceux avec qui il tenait conseil virent arriver dans la cour du camp Saint-Irénée, venant par des chemins détournés pour ne pas trop attirer l'attention, Timothée et une dizaine de gardes qui escortaient trois fourgons sur lesquels se trouvaient cinq prisonniers enchaînés dont Crispo le Rouge, ainsi que des femmes et des enfants. Des messagers avaient déjà averti Erwin que la milice de Belleville traquait le bandit et ce qui restait des Foustes. Le missus réserva au Grec un accueil chaleureux à sa façon, le félicitant d'avoir mené cette capture à bonne fin. Parmi les miliciens se trouvait maître Firmin, qui eut droit lui aussi à un « Bien, très bien, mon fils ! »

Les femmes et les enfants furent conduits à l'entrepôt qui en abritait déjà un grand nombre. Crispo et ses coupe-jarrets furent incarcérés au monastère de l'île Barbe où se trouvaient déjà détenus l'ancien chef de la milice et son intendant, l'ex-comte Rothard, Norbert et Adalrich.

La capture des derniers bandits rendait urgente la constitution d'un tribunal. Manquait certes le groupe de rebelles conduit par Seneb, mais il devait à présent être loin, disposant au sud de complicités.

— Leur sort est davantage entre les mains de Dieu qu'entre les nôtres, déclara Erwin. Ici, on attend de nous maintenant que nous jugions, sans tarder, organisateurs et complices de la conspiration.

Se tournant, tour à tour, vers ses assistants et auxiliaires réunis en conseil, il précisa :

— Je continuerai à mener l'enquête et à diriger l'instruction avec votre aide. Sur le complot, nous en savons déjà beaucoup ; cependant, notez-le bien, tout est loin d'avoir été tiré au clair... Quant au procès, il est évident que les plus hauts responsables de la conspiration ressortissent à la justice

264

du roi. Ici, nous jugerons les autres, tous les autres. Pour la constitution du tribunal, je nomme déjà rachimbourgs Benoît le forgeron, Sasson le drapier et Bertier le meunier. D'autres désignations suivront.

Le soir même, le missus dominicus confia à un messager un rapport complet sur la conspiration de la Salamandre à l'intention du roi. Celui-ci avait fait savoir qu'il se trouvait à Tours en pèlerinage sur la tombe de saint Martin. Erwin savait qu'il s'était rendu en fait dans cette ville pour s'y entretenir avec Alcuin, son plus proche conseiller (qui y gouvernait l'un des monastères les plus fameux du royaume), au sujet de son prochain voyage à Rome. Dans son rapport, le Saxon, après avoir décrit le complot en tous ses aspects et de quelle façon il avait été découvert, réprimé et anéanti, précisait comment il entendait utiliser les pouvoirs que lui conférait le capitulaire royal pour terminer l'instruction, juger et sanctionner les rebelles de responsabilité subalterne, les mercenaires et les bandits, sauf avis contraire du souverain. Il indiquait les noms de ceux qu'il déférait au plaid royal en raison du rôle fâcheusement éminent qu'ils avaient joué dans la sédition.

Erwin ordonna au messager et aux deux gardes qui l'accompagnaient de joindre le roi Charles au plus vite en ne prenant aux relais qu'un minimum de repos et de revenir de même, porteurs de ses instructions.

Le procès eut lieu quinze jours après, symboliquement dans la résidence comtale réaménagée pour la circonstance et devant une assistance si nombreuse qu'elle en occupait aussi la cour et les abords. Le tribunal avait été installé sur une estrade. Le missus dominicus était entouré par ses rachimbourgs. Derrière lui se tenaient Timothée, frère Antoine et Doremus, glaive au côté. Sur un siège, un peu à l'écart, était assis le frère Yves qui, bien que faible encore, avait tenu à assister aux audiences. Arnold dirigeait une douzaine de miliciens chargés de maintenir l'ordre. Deux clercs, dont Dodon, valet de la mission, faisaient office de greffiers.

Après une prière prononcée par toute l'assistance, les débats commencèrent. Il y eut bien quelques protestations lorsque le missionnaire du souverain indiqua que le sort de Rothard, de Norbert et d'Adalrich serait tranché par le roi, mais elles s'apaisèrent dès lors que le Saxon eut exprimé sa conviction que « Charles le Juste les traiterait avec la plus extrême rigueur ».

Il indiqua ensuite que le chef d'accusation retenu était celui d'assassinat, de conspiration et de rébellion, sans en préciser cependant la nature. Les débats, interrogatoires et témoignages requirent cinq audiences où chaque catégorie d'accusés était représentée par deux individus seulement pour éviter une cohue.

Le missionnaire du souverain délibéra longuement avec ses rachimbourgs avant de prononcer les sentences. Après des attendus soulignant l'infamie des comploteurs et de leurs complices, il commença à énoncer les condamnations :

— Pour avoir soutenu la sédition du soi-disant

comte Rothard et autres personnages dévoyés, ceux qui ont été capturés à Thurins, sans qu'ils aient combattu, ajoutant ainsi la honte de la lâcheté à l'ignominie de leur trahison, sont réduits en servitude. Ils seront affectés aux travaux les plus rudes.

La salle éclata en applaudissements.

— Quant aux cinq combattants qui ont été blessés dans l'assaut commandé par le comte Hugues contre le couvent Saint-Pierre et qui ont été recueillis sur le champ de bataille, poursuivit le missus, pour avoir été braves, même dans la sédition, et considérant qu'ils ont été fidèles à leur serment, fait à un traître, hélas ! il a été décidé par grande indulgence qu'ils seraient affectés dans l'ost royal aux postes les plus exposés où ils pourront se racheter en donnant leur vie, cette fois-ci, pour le roi.

Quelques murmures de réprobation se mêlèrent à de nouveaux applaudissements. Le Saxon poursuivit imperturbable :

— Les trois hommes dont l'enquête et les témoignages, ainsi que les aveux, ont démontré la culpabilité, au moins comme complices, dans l'assassinat du maréchal Ebles, missionnaire de la chancellerie, subiront la question jusqu'à la mort. Il en sera de même des bandits capturés en même temps que Crispo dit « le Rouge », qui, responsable et auteur de mille crimes odieux, sera écartelé en place publique hors les murs de Lyon.

Aucune rumeur, aucune acclamation ne salua ce terrible jugement, mais un lourd silence.

— Les autres prisonniers (hommes, femmes et enfants), y compris l'ancien commandant de la milice Sigbert, et Florian qui fut son intendant, sont condamnés à l'esclavage. Ils seront attribués par priorité aux familles des miliciens morts pour le roi, à ceux qui ont souffert des forfaits et méfaits des bandes, puis, sur demande et par ma décision, à ceux qui ont bien servi le souverain. Ainsi en ai-je jugé, avec l'assistance de mes rachimbourgs! Et maintenant, prions ensemble le Seigneur de miséricorde!

Après que le missus eut levé la séance, il fut précisé par un assesseur que le supplice de Crispo le Rouge interviendrait dans un délai permettant aux habitants de la région de Belleville, que les Foustes avaient mise en coupe réglée et où ils avaient fait régner la terreur, de venir y assister.

Erwin avait pu enfin regagner sa chambre à l'*Auberge des Quatre Cavaliers* pour y prendre quelque repos, après avoir été poursuivi jusque-là par les acclamations de la foule, quand Doremus se fit annoncer. Le missus le reçut avec quelque humeur :

— Qu'y a-t-il de si urgent? demanda-t-il.

— Je me souviens, répondit l'ancien rebelle, de la très grande indulgence qui fut la tienne à mon égard...

— Tu n'as jamais été un criminel, coupa Erwin.

— Je sais ce que je dois à ta rectitude et à ta bonté.

— Et moi je sais ce que tu vas me demander!

— Sans doute, seigneur, reprit Doremus. Que

268

les coupables rencontrent la mort comme châti-
ment de leurs crimes, qui pourrait le désapprou-
ver ? Mais la torture...

— Telles sont les lois et les coutumes, quand
l'autorité du roi et sa personne ont été en jeu et
d'ailleurs le restent. Et tu voudrais que moi,
Erwin, abbé saxon au service de Charles et
nommé, par capitulaire portant son sceau, missus
dominicus, je manque à les appliquer et à m'y
soumettre ? J'ai déjà été trop clément en modérant
la sévérité de mes rachimbourgs quant à la peine
encourue par certains accusés. Mais pour les criminels et les bandits, toute la rigueur est requise.
Et Crispo le Rouge subira le supplice que les lois,
je l'ai dit, prescrivent et que ses victimes, là-haut
ou ici-bas, exigent.

— Cependant, maître...

— Laisse-moi en paix !

Deux jours après ce jugement, alors que la ville
en était encore bourdonnante, Erwin reçut, à leur
demande, et ensemble, Nicomède le Syrus et le
gaon Ammorich, venus lui annoncer avec fierté
qu'ils étaient maintenant en mesure de lui livrer le
gage qu'il avait demandé. Le Saxon les en remercia et leur donna des instructions très précises
pour la suite immédiate de leur mission.

Quand ils se furent retirés, il reprit l'étude d'un
message qu'il venait de recevoir et dans lequel le
roi, en réponse au rapport qui lui avait été envoyé,
donnait à son missus latitude pour conclure « la
détestable affaire de la Salamandre » :

« Tu sauras faire équitablement justice, avait

dicté le roi, et cela non seulement pour châtier ceux que tu dois toi-même, mais également pour frapper ceux dont tu nous as écrit qu'ils pouvaient ressortir à notre plaid. De tous ceux de quelque rang que tu nous as cités, seul le comte Hugues put jadis, en dépit de ses fautes, mériter estime, mais ni ce Rothard, félon et lâche, ni Norbert, homme sans aveu, ni cet Alaman inconnu de nous. Comment pourraient-ils prétendre que nous les jugions nous-mêmes ? Garde-toi bien de croire que cet exemple de félonie et trahison qu'est la conspiration que tu as heureusement détruite pourrait venir nous occuper, ou distraire de ses tâches urgentes notre comte du palais ou quiconque en notre chancellerie ! Garde-toi aussi de croire qu'évoquée en audience publique, ou même traitée en délibération secrète — car aucune ne peut le rester longtemps —, cette conspiration, en révélant les infamies que tu m'as dites, pourrait venir troubler les cœurs en notre cour ! Nous t'enjoignons donc de juger publiquement ou secrètement tous les coupables et de faire exécuter sur place toute sentence, de quoi tu devras nous rendre compte avec diligence. Que si quelque cas mérite examen particulier, ou décision de même, il t'appartient de trancher, selon nos intérêts que tu connais, pour le mieux et en nous avertissant aussitôt de ce que tu auras arrêté.

« Quant à Emma et à ses suivantes, pourquoi seraient-elles transférées, à grande et fâcheuse notoriété, et de plus auprès de Himiltrude ? Qu'elles demeurent là où elles ont choisi de commettre actes de vilenie, mais désormais sous surveillance étroite et sans faveurs pour le temps de vie qui leur reste ! Quant à Ambroise, privé par nous de ses charge et bénéfices, qu'il soit soumis au monastère de l'île Barbe à un régime rigoureux en expiation de sa traîtrise ! Tu donneras connaissance à notre cher Leidrade qui va bientôt arriver à Lyon en compagnie du comte Childebrand des instructions que voilà afin qu'il continue à veiller à leur application.

« Lis et relis cette lettre pour qu'elle guide ton action en fidélité à nos ordres »

Après avoir, en effet, lu et relu la missive royale, Erwin se rendit à l'évêché pour y rencontrer le représentant du Saint-Siège. L'évêque Marcellin se présenta à lui avec un visage ruisselant de satisfaction.

— Je dois t'adresser toutes mes félicitations, dit-il avec emphase, pour la manière magistrale dont tu as conduit cette enquête qui a abouti avec bonheur à l'anéantissement d'un exécrable complot et à la condamnation de ceux qui l'avaient fomenté.

— Pas tous, marmonna le Saxon.

— Que dis-tu ?

— Je disais « pas tous », articula Erwin.

— Sans doute veux-tu parler de ceux qui comparaîtront devant le plaid du roi...

— Pas seulement.

— ... ou encore de ces quelques Levantins qui, paraît-il — mais que ne raconte-t-on pas ? —, auraient réussi à s'échapper ?

— Je veux parler, accessoirement, en effet, de

Seneb et de ses hommes de main, précisa Erwin, mais surtout de coupables d'une tout autre envergure. Un prélat aussi avisé que toi n'a pu manquer d'observer qu'il demeurait dans cette affaire bien des zones d'ombre. De cette conspiration de la Salamandre, connaît-on le fin mot?

— Il me semblait pourtant qu'on en savait beaucoup, objecta Marcellin : ce que tu en as révélé toi-même, ce que le procès a dévoilé, nombre d'informations avérées, ce que j'ai pu en déduire moi-même.

— C'est-à-dire?

— As-tu besoin que je te dise ce que tu connais mieux que moi?

— L'avis d'un évêque de la curie romaine serait-il sans intérêt? insista Erwin.

— Soit! concéda Marcellin. Je pense — et j'écrirai dans mon rapport au Saint-Père puisque c'est, sans doute, cela qui t'intéresse (le Saxon ne broncha pas)... — je pense donc qu'il s'est agi d'une conspiration visant le roi lui-même, peut-être lors de son passage en cette ville en route vers Rome. Je pense que, parmi ceux qui l'avaient organisée, figuraient, à l'évidence, d'anciens hauts personnages, ambitieux et animés par une haine diabolique contre le roi Charles. Quant à la lie de la terre qu'ils ont recrutée, tout a été dit.

Le Saxon fit le geste d'applaudir.

— Remarquable, dit-il. Cependant, en s'attaquant à Charles, aussi acharnée qu'ait été leur haine, les conjurés avaient bien un but : évidemment, après avoir renversé le roi actuel, en placer un autre sur le trône.

— Sans doute.

— L'histoire nous apprend que le frère se rebelle souvent contre le frère, le fils contre le père.

— Ce n'est que trop exact. Charles n'ayant plus de frère, tu veux dire...

— Allons, Marcellin, ne faisons pas semblant de chercher ce que nous savons déjà. Pépin, roi d'Italie, est un fils loyal et dévoué. Et, en admettant le contraire, pourquoi aurait-il organisé avec mille difficultés ici ce qu'il aurait pu mieux entreprendre en sa capitale de Pavie où doit passer son père ?

— Il suffit qu'on dise qu'il est homme de courage, de dévouement et de loyauté.

— En effet, cela suffit... Reste donc Pépin le Bossu qui a déjà conspiré contre son père.

— N'ai-je pas entendu qu'une de ses parentes serait actuellement détenue au couvent Saint-Pierre ?

— Je peux même te confirmer — pour ton rapport au Saint-Père — qu'il s'agit d'Emma, la propre sœur de Himiltrude, donc la tante de Pépin le Bossu.

L'évêque Marcellin enregistra cette révélation par un hochement de tête significatif et la commenta après un instant de réflexion :

— Voici donc ce fin mot : nous avons les chefs, les troupes et le but.

Le Saxon eut une expression du visage exprimant un doute :

— Oui... peut-être, murmura-t-il. Mais on ne m'ôtera pas de l'idée que les conspirateurs, aussi aventureux qu'ils aient pu être, avaient besoin d'appuis extérieurs.

— Il est vrai que la complicité de tant de Levantins donne à penser. N'avais-tu pas soulevé toi-même l'hypothèse de quelque intrigue de cour à Constantinople ?

— Je vois qu'on t'a bien renseigné... Oui, j'ai évoqué cette hypothèse, mais plus par commodité et opportunité, m'adressant aux Syri de Lyon pour les mettre en garde, que par conviction. Que Nicéphore, ennemi de l'impératrice Irène et opposé, en tant que tel, à son projet d'union matrimoniale avec Charles...

— A Rome, on a eu vent d'un tel projet.

— ... ait placé quelques *numismas* — il en a tellement — dans une conspiration déjà mise sur pied et dont il avait eu connaissance, c'est possible. Qu'il l'ait organisée, avec tout ce que cela suppose de connaissances et de relations ici, c'est invraisemblable... J'ai parlé d'appuis extérieurs... En effet, imaginons que, par impossible, Pépin le Bossu ait pu écarter son père et monter sur le trône. Il aurait bien fallu alors...

Le Saxon s'accorda un long moment de réflexion.

— Il te souvient, évidemment, dit-il, qu'à la fin du mois d'avril de l'année dernière, Léon III, pape depuis trois années et demie, et qui avait dû affronter déjà maints orages, fut victime à Rome d'un complot. Agressé par une bande d'émeutiers au cours d'une procession, injurié, molesté, roué de coups, il fut traîné, à moitié mort, jusqu'au monastère de Saint-Érasme où il fut jeté dans un cachot. Il ne dut la vie et la délivrance qu'à l'intervention d'un détachement franc au sein duquel se trouvait mon ami Childebrand.

— Oui, ce furent, m'a-t-on dit, des journées abominables, ponctua Marcellin.

— Sans nul doute. Léon III trouva donc refuge auprès du roi Charles à Paderborn, en Saxe. Refuge et appui. Il revint à Rome protégé par une forte escorte de Francs. Childebrand, qui avait prolongé son séjour dans la Ville éternelle, m'a indiqué de retour à Aix que, pour autant, les conjurés n'avaient pas désarmé. Mais quels conjurés ?

— Comme partout, la populace !

— Oui, celle qu'on excite. Mais qui l'excite ? Selon mon ami qui sait écouter et observer, la noblesse romaine, craignant pour ses privilèges et avantages, n'avait pas accepté l'accession au pontificat de Léon III, clerc d'humble origine, dont l'élection d'ailleurs intervint par surprise, alors que son prédécesseur sur le trône de saint Pierre, Hadrien, issu de cette même noblesse, était tout acquis à celle-ci, et qu'un de ses parents comptait lui succéder. Ne peut-on penser qu'elle a organisé la rébellion contre Léon III ? Le neveu d'Hadrien et d'autres personnages, à lui apparentés, ne figuraient-ils pas en tête des meneurs pendant les émeutes ? Ne l'as-tu pas constaté toi-même ?

— Je n'étais pas à Rome à ce moment-là.

— Soit ! Charles va se rendre à Rome à la fin de cette année. Selon toi, un simple pèlerinage ?

— Pourquoi pas ?

— Allons, Marcellin, ne jouons pas au plus fin !

— Il est vrai, dit l'évêque, qu'on prête au roi, qui est aussi patrice des Romains, l'intention de faire comparaître Léon III devant un tribunal qu'il présiderait lui-même, afin de laver le souverain pontife, sous serment, des accusations portées contre lui, concernant son attitude, la conduite de son pontificat et ses mœurs.

— Est-ce tout ?

— A ma connaissance, oui.

— Mais n'est-il pas devenu notoire — et on ne pourrait l'ignorer à la curie romaine — que certains conseillers de Charles, qui ne sont discrets à vrai dire ni en parole ni par écrit, poussent le roi à faire restaurer et à assumer un pouvoir impérial disparu en Occident depuis plus de trois siècles ?

— Est-ce vrai, grands dieux ?

— Comme si tu ne le savais pas, comme si tu ignorais que Léon III à l'occasion du séjour à Rome de Charles, roi des Francs et des Lombards, pourrait le proclamer et faire acclamer empereur d'Occident !

— Ce que tu m'apprends là... commença Marcellin.

— Venons-en à l'essentiel ! Imaginons Léon III, tous soupçons écartés, raffermi sur son trône pontifical, soutenu fermement par Charles, nouvel empereur d'Occident, puissant et glorieux... Que deviendrait alors cette noblesse romaine qui, naguère encore, faisait la pluie et le beau temps et qui s'est fourvoyée dans une conspiration ?

276

Le Saxon laissa un instant cette question en l'air.

— Pour elle, reprit-il, tout serait perdu, sauf à se débarrasser au plus vite de Léon III et de son soutien. A Rome, le pape est, maintenant, trop bien gardé. C'est alors, sans doute, qu'a germé l'idée, même hasardeuse, de s'attaquer à Charles. Les comploteurs ne pouvaient-ils pas compter, jusqu'au sein de la cour à Aix, sur des rancunes et des haines ? Donc trouver soutiens et complices ? N'étant pas trop regardants sur les recrues, ne purent-ils pas espérer réunir assez de mercenaires et de sicaires pour un coup de main audacieux, tablant sur la témérité de Charles, en effet excessive à mon gré ?

L'envoyé du souverain fixa alors l'évêque Marcellin et ajouta :

— Les conjurés romains ne furent-ils pas, d'ailleurs, assurés de l'appui de certains représentants du Saint-Siège, qui furent les soutiens les plus actifs, et dévoués, du précédent pape Hadrien, sont demeurés *post mortem* fidèles à sa cause et qui sont donc hostiles à Léon III dont ils ne peuvent rien espérer mais tout craindre... des représentants offrant l'avantage pour les comploteurs d'être demeurés en poste là ou... ici !

Erwin avait détaché et souligné cet « ici ».

Le représentant de la curie romaine se dressa avec un visage courroucé :

— Dois-je comprendre, s'écria-t-il, que tes propos me visent, que tu m'accuses d'avoir « ici » prêté la main à la sédition ?

— C'est bien ce que tu dois comprendre,

repartit Erwin calmement, encore que « prêté la main » soit trop faible. C'est « organisé la sédition » que tu aurais dû dire.

L'évêque romain se dirigea vers la porte.

— C'est une calomnie inadmissible et stupide. Je n'ai pas l'intention d'en entendre davantage, jeta-t-il.

Un garde qui se tenait sur le seuil lui barra le passage et, comme Marcellin voulait le bousculer, dégaina son glaive.

— Qu'est-ce que cela signifie ? s'écria l'évêque en se tournant vers le Saxon. Aurais-tu l'intention de me retenir prisonnier ?

— J'en ai, par capitulaire, étant donné les circonstances, pleinement le droit.

— J'en appellerai au roi et il t'en cuira.

— Ce que je vais te dire devrait plutôt te flatter, enchaîna le Saxon. Dès le début, j'ai estimé que les conspirateurs qui s'étaient dénoncés comme tels ou dont on m'avait parlé n'avaient pas l'envergure suffisante pour un tel complot : ni Rothard, vaniteux mais lâche, ni Norbert, ivrogne luxurieux, ni Adalrich, par trop fruste, ni même Hugues, brave mais irréfléchi. Certes, nous n'avons pas parlé d'Emma, femme de tête et de poigne, rancunière et rusée. Mais elle ne pouvait pas avoir les coudées assez franches pour monter une opération militaire comme celle à laquelle devait mener le complot de la Salamandre. En outre, le couvent Saint-Pierre ne pouvait constituer un lieu idéal pour y établir un quartier général. Tandis que cet évêché, au centre de Lyon, ouvert à tous les vents et cœur d'une taupinière urbaine !... Avec une position insoupçonnable...

Marcellin, qui s'était assis de nouveau, haussa les épaules.

— Je me suis aperçu assez vite, poursuivit Erwin, que, dans cette affaire, tout était parti d'ici, tout avait convergé ici ; les assassins à gages pour y trouver subsides, instructions et même refuge, ceux qui recrutaient mercenaires et hommes de main de même, les agents de liaison pour mettre en place et faire évoluer le dispositif de la sédition selon les renseignements et ordres qu'ils recevaient.

— Quelle fable !

— Non, car j'ai fait surveiller constamment et soigneusement les bâtiments épiscopaux ainsi d'ailleurs que tous les passages, sur ou sous terre, qui les desservent. J'ai fait surveiller les déplacements des messagers qui les empruntaient, et ce fut, crois-moi, particulièrement instructif.

— Accusations sans preuve ni raison !

— Mais qui pouvait être à la tête de cette entreprise ? continuait Erwin. Ayant exclu ceux que je t'ai dits, restait un homme qui en avait les moyens, l'entregent, avec les motivations évidentes, en sa qualité d'évêque de la curie pontificale, appartenant à la noblesse romaine, ancien proche, très proche, du défunt pape Hadrien, un homme qui en avait l'envergure — je t'avais bien dit que j'allais te flatter —, toi-même !

L'évêque Marcellin s'efforça de rire.

— Je n'ai jamais entendu, dit-il, un tel tissu d'allégations mensongères.

— En fait d'allégations mensongères, riposta le Saxon, tu ferais bien de t'exprimer avec prudence, car tu m'as menti tout à l'heure en déclarant que tu n'étais pas à Rome le jour de l'émeute contre Léon III. J'ai reçu, il y a deux jours, un message de mon ami Childebrand me confirmant qu'il t'avait bien aperçu ce jour-là dans la Ville éternelle, évidemment pas au cœur des violences.

— Maintenant que tu en as terminé avec tes calomnies, puis-je me retirer ? demanda Marcellin.

— Non, car je vais faire venir un de tes amis avec lequel tu ne manqueras pas d'évoquer de précieux souvenirs.

Le missus dominicus fit un signe au gardien qui se trouvait sur le seuil. Quand Marcellin aperçut celui qui s'approchait, il sursauta sur son siège.

— Toi, toi ici, Clodoald, toi ! s'écria-t-il.

L'« intendant » entra posément. Erwin l'invita à s'asseoir. Suivit un long silence pendant lequel l'évêque romain jeta sur le Bavarois, toujours impassible, des regards furieux et inquiets.

— Il n'est assurément pas ici de son plein gré, dit le missus, en désignant ce dernier. Je ne dédaigne aucun allié, à quelque peuple qu'il appartienne. Ce sont ces alliés, Juifs et Levantins, qui ont découvert sa retraite et me l'ont ramené, en gage de bonne volonté et de fidélité au roi. Je dois dire qu'il s'est laissé conduire ici sans résistance ou protestation inutiles. Je crois savoir pourquoi...

— Nous y viendrons sans tarder, nota calmement Clodoald.

Nouveau silence. Erwin reprit, s'adressant à lui :

— Nous avons évoqué longuement avec l'évêque Marcellin la conspiration de la Salamandre. Je ne t'en apprendrai rien étant donné qu'avec lui, représentant ici ses commanditaires romains, tu en fus le principal organisateur.

— Je ne le nie pas, dit le Bavarois.

Marcellin bondit.

— Faux témoignage, extorqué sous la menace, et d'un homme pétri de vices et de crimes !

— Calme-toi, je te prie ! lança Erwin.

— Épargnons-nous, poursuivit Clodoald toujours aussi calme, le fastidieux énoncé de mes preuves. Sur chaque épisode de la conspiration, je peux fournir des détails convaincants concernant aussi bien ma participation que la tienne, Marcellin. Si procès il y a, je les fournirai.

— Tiens-tu à un procès ? demanda suavement le Saxon à l'évêque.

— Tout cela est une machination, lança celui-ci, une machination destinée à me perdre !...

— Oh ! coupa Erwin, agacé, cesse de mettre ta petite personne au premier plan de cette affaire. De toute façon, le complot de la Salamandre a été liquidé et ce dont il s'agit désormais revêt une tout autre importance !

Puis, se tournant vers Clodoald :

— Venons-en, dit-il, à ce qui nous intéresse : le complot contre Léon III, ses relations avec le prochain voyage à Rome de Charles, roi des Francs et des Lombards, patrice des Romains et, peut-être, demain empereur d'Occident.

Le Bavarois s'installa commodément.

— Il est exact, admit-il, que j'ai épousé un temps la cause des comploteurs romains. J'avais été, on le sait, l'un des amis du duc de Bavière Tassilon que le roi Charles a destitué. J'ai donc eu mes raisons pour ne pas porter celui-ci dans mon cœur. Je suis venu à Lyon pour organiser le guet-apens que l'on sait, à l'appel et sous l'autorité d'un représentant de l'ancienne curie pontificale, toujours en place, que voici !

— Mensonges, mensonges, mensonges ! cria Marcellin.

— Je me suis rapidement rendu compte que cette conspiration, montée de bric et de broc, ne pouvait qu'aboutir à un désastre, surtout — sans vouloir te flatter, Erwin — à partir du moment où tu as pris les choses en main. C'est pourquoi j'ai préféré la fuite... Avant la catastrophe.

— Alors pourquoi t'être laissé capturer ?

— Parce que, m'étant échappé sans trop réfléchir, je me suis aperçu qu'en la circonstance la fuite n'était plus une solution. Pendant des années j'ai servi Tassilon, duc de Bavière, une cause perdue ; ensuite, j'ai suivi Hadrien et sa coterie, autre cause aujourd'hui mal en point. Je n'appartiens pas à la noblesse romaine comme Marcellin, mais à la noblesse bavaroise. La cause des prélats et hauts personnages romains fidèles au défunt pape Hadrien n'est pas, au fond, la mienne. J'en ai assez de mener une vie pourchassée, au service de perdants. Je veux désormais servir un gagnant : le roi Charles.

— Quelle honte, quel cynisme ! marmonna l'évêque.

— Je trouve cela très raisonnable, au contraire, ponctua le missus, à la condition évidemment que ce soit encore possible.

— Je suis arrivé à la conclusion, précisa le Bavarois, qu'il vaut mieux se lier à l'aventure et à la renommée d'un souverain qui va peut-être faire de nouveau resplendir la gloire de l'Empire que servir quelques prélats rancuniers et intéressés.

— Charles va te faire périr dans les pires supplices pour avoir conspiré contre lui, prédit Marcellin.

— Je veux croire, j'espère, riposta Clodoald, qu'il ne fera rien de tel. Je ne suis pas, comme d'autres, un conjuré connu dont la mort dans les supplices servirait d'avertissement, mais un homme de l'ombre qui lui serait certainement plus utile vivant que mort.

— Oh ! Dieu de miséricorde, quelle abomination ! proféra Marcellin.

— Abomination, mais en quoi ? dit le Bavarois. Si l'on en juge à cette aune, il est certainement plus abominable de servir la subversion que le pouvoir d'un prince déjà fameux et qui, soit dit en passant, a fait davantage pour le royaume de Dieu et de Son Fils, fût-ce parfois sans ménagement, que tous les prêches de Rome.

— Maudit, sois maudit !

— Le Tout-Puissant en jugera.

— En attendant, enchaîna le missus dominicus, c'est ici-bas que tu vas être jugé.

— Eh bien, repartit Clodoald, on mettra dans la

balance mes fautes et mes aveux, et on pèsera aussi ce que je sais, ce que je peux apporter au roi, en tout cas, une fidélité certaine. Car, ayant été si longtemps loyal à ses ennemis, la loyauté que je lui jurerai maintenant lui sera assurée. On pèsera, on décidera. Si j'entre à son service, je n'hésiterai pas à mettre à sa disposition tout ce que je sais des intrigues romaines, pour lui faciliter la tâche à un moment où il est question d'innocenter Léon III, lequel pourrait alors consacrer la puissance de Charles par un titre fameux. Ne l'as-tu pas dit toi-même, Erwin : la partie qui se joue maintenant dépasse, et de loin, la valeur, l'honneur et la destinée de chacun d'entre nous ?

L'évêque Marcellin était effondré sur son siège.

— Je n'ai pas souvenir d'avoir exactement dit cela, précisa Erwin. Mais peu importe ! Sais-tu que tout jugement peut signifier pour toi une mort cruelle ?

— Comment pourrais-je, ici, l'ignorer ? Que le roi Charles sache seulement que, si je vis, je le servirai jusqu'à mon dernier souffle, ajouta Clodoald. Et j'en sais assez sur bien des sujets pour le bien servir.

Le missus dominicus crut plus sage d'attendre une semaine avant de faire exécuter les sentences qui avaient été annoncées et celles qu'il avait arrê-tées, seul, en conformité avec les instructions du roi, pour le cas où celui-ci, se ravisant, aurait modifié ses dispositions. Mais, sachant d'autre part que son ami Childebrand et l'évêque titulaire du diocèse, Leidrade, n'allaient pas tarder à arriver, et ne voulant pas leur faire endosser, fût-ce partiellement, une responsabilité quelconque dans cette affaire, il résolut d'en finir en une journée. Quant aux modalités des exécutions, il décida qu'elles ne seraient pas publiques, à l'exception du supplice de Crispo le Rouge.

N'assistèrent donc à celles de Rothard, Norbert et Adalrich que le missus et ses adjoints : Erwin avait estimé que la mise à mort de personnages de haut rang, quels qu'aient été leurs crimes, n'était pas un spectacle à montrer au peuple. Les trois hommes furent extraits de leurs cellules au petit matin et conduits, enchaînés, sur le lieu de leur supplice. L'ancien comte se démena et hurla, insultant Erwin, quand il se rendit compte de son sort ; Norbert, qui avait été autorisé à boire tout son soûl, était ivre et titubait ; Adalrich, sobre, lui, affichait un sourire narquois. Le missus dominicus, lecture faite du passage de la lettre royale qui lui donnait tout pouvoir pour en terminer avec la conspiration et les conspirateurs, énonça la sentence de mort. Les trois comploteurs furent immédiatement étranglés.

Les autres condamnés à mort furent exécutés ensuite en présence d'Erwin et de ses rachimbourgs. Les tortures que prescrivaient les lois pour crime contre le roi furent, de fait, écourtées. Ce furent des corps bientôt sans vie qui les subirent, car les bourreaux avaient reçu de l'abbé saxon la consigne de faire périr les suppliciés au plus vite.

Pour l'exécution de Crispo le Rouge, un espace situé en aval de Lyon, non loin du Rhône, avait été aménagé et flanqué notamment de tribunes en bois. Alors que le supplice n'était prévu que pour la mi-journée, dès l'aube une foule nombreuse venant de tout le diocèse et notamment de Belleville avait convergé vers ce lieu. Ce fut bientôt une foire avec vendeurs ambulants de viandes rôties, de saucisses, de fromage et de pain, de gâteaux, de vins aux aromates et de boissons rafraîchissantes, avec aussi des conteurs d'histoires macabres et édifiantes, et des prêcheurs tonitruants. Doremus en était écœuré.

Quand apparurent les quatre bœufs qui allaient servir au supplice, la foule garnit en un instant les gradins et leurs alentours et, peu à peu, tandis qu'au centre de l'espace se préparait l'exécution, les conversations et les cris, l'agitation aussi, cessèrent. Une rumeur accueillit l'arrivée de Crispo le Rouge, enchaîné, que deux bourreaux traînaient, plutôt qu'il ne marchait. Il regardait autour de lui avec un air dément. Lorsque les préparatifs furent terminés, tous les regards se tournèrent vers la tribune où se tenait le missus dominicus entouré de ses assistants, de ses rachimbourgs, d'Arnold et de ses chefs d'escadron. Erwin abaissa la main. Chacun des quatre bœufs, disposés en X, commença à tirer sur la corde qui était attachée d'une part à son joug, d'autre part à un membre du supplicié. Alors s'éleva un hurlement strident si effroyable qu'il glaça de terreur tous les assistants. Cela parut durer interminablement. Puis le missus, d'un signe, ordonna au bourreau qui se tenait près de celui qui était écartelé d'en abréger le martyre. Un coup de hache miséricordieux trancha la tête de Crispo le Rouge.

Le soir, Doremus et frère Antoine, à l'*Auberge des Quatre Cavaliers*, burent plus que de raison mais sans gaieté, jusqu'à être si ivres que maître Marcel dut faire porter le Chauve à sa couche, tandis que le moine dont la capacité était légendaire parvenait à grand-peine à regagner la sienne. Timothée alla chercher aux bains du quartier Sainte-Eulalie le secours de la servante avec laquelle il avait ses habitudes et qui parvint à le tirer de sa mélancolie. L'abbé saxon partit à cheval, dans les bois, pour une longue promenade au cours de laquelle il s'efforça d'oublier le supplice qu'il avait été obligé d'ordonner, en concentrant son esprit sur ce qui restait à entreprendre pour en terminer avec la conspiration de la Salamandre.

L'arrivée de l'évêque Leidrade et du comte Childebrand escortés par cinquante gardes palatins fit impression. Erwin était allé les accueillir à la porte nord de la ville, assisté de Timothée, Doremus et frère Antoine, ainsi que d'Arnold et d'un peloton de dix miliciens. Comme toujours Childebrand, en armure complète, attira l'attention par sa prestance, et le peuple fut heureux du retour de Leidrade en son diocèse, espérant qu'enfin il y demeurerait assez longtemps pour hâter et mener à bien les reconstructions entreprises. Cette arrivée fut prétexte à de nouvelles fêtes qui exprimaient la joie de la sécurité, de la paix et du calme assurés.

Erwin avait éprouvé un vif plaisir à retrouver son ami ainsi que Leidrade, avec lequel il partageait l'amour des beaux manuscrits, de la musique et des liturgies respectées. Un souper les réunit dès le soir. Ce fut pour l'abbé saxon l'occasion de les mettre au courant des événements qui avaient secoué Lyon et sa région, et de leur indiquer de quelle façon il avait mis fin à la conspiration, en évitant au maximum les engagements sanglants.

— Par les dieux, je te reconnais bien là, ponctua Childebrand en riant aux éclats. Je n'ai jamais connu manieur de glaive aussi brillant et intrépide que toi et qui répugne autant à s'en servir.

— C'est qu'il ne s'agit pas seulement de moi, dit Erwin, approuvé par l'évêque.

— Ah çà ! reprit le comte, mais je ne te blâme pas d'avoir épargné la vie de tes hommes.

— Soit dit en passant, demande à tes gardes, qui pourraient le prendre de haut vis-à-vis des miliciens de cette ville, de les considérer plutôt comme des frères d'armes, souvent des vétérans glorieux, et qui ont été en la circonstance avisés, habiles et courageux.

— Je n'y manquerai pas, assura Childebrand. Quant à toi-même, si je t'ai bien compris, tes propos calculés, en semant dans les rangs des rebelles méfiance, jalousies, querelles d'intérêts et enfin doute, désespérance et panique, ont fait plus de morts, en dressant les uns contre les autres, que flèches et que glaives.

— N'est-ce pas, en vérité, la preuve que le verbe l'emporte sur l'épée ! lança Leidrade avec un sourire.

— Oh ! là ! releva le comte, me crois-tu moins expert en paroles qu'aux armes ?

Reprenant son exposé, Erwin lut d'abord la lettre que lui avait adressée le roi, puis il indiqua qu'il avait déjà fait prendre au couvent des moniales Saint-Pierre toutes mesures concernant l'internement et la surveillance d'Emma et de ses suivantes, tandis qu'Ambroise se trouvait maintenant au secret au monastère de l'île Barbe où il avait été transféré de nuit.

— Voilà, dit-il à Leidrade, qui relève désormais de ta compétence et de ton autorité. Je te laisse aussi la décision quant à deux femmes qui se disent de bon lignage et qui appartinrent à la coterie de Rothard. Je les ai confiées, prisonnières, au couvent Saint-Pierre. Lignage ou pas, elles ne furent jamais que des courtisanes. Mais si dévergondage était crime...

L'évêque qui revenait de la cour leva les yeux au ciel. Le Saxon en vint alors à l'essentiel : les cas de Marcellin et de Clodoald.

— Du premier, de cet évêque de curie, de l'ancienne curie, il n'y a rien de bon à attendre, estima-t-il. Il n'a ni parole, ni honneur. Qu'on laisse aux services pontificaux, ceux de Léon III, le soin de statuer sur son sort !

— Qu'il leur soit donc livré, approuva Leidrade.

Erwin rapporta alors les propos de Clodoald, ses aveux, sa franchise cynique, mais aussi ses propositions...

— D'autant plus dignes d'attention, dit-il, qu'il a été plus impudent. Mais avait-il le choix ? Ce qui est certain, c'est qu'il peut être extrêmement utile à Rome où il s'agit bien de démasquer et châtier les séditieux qui ont voulu abattre Léon III, d'assurer son trône en préparant un procès où il pourra se laver de tout soupçon, après quoi...

Le Saxon reprit après un court instant en s'adressant à Childebrand :

— Cela te regarde au premier chef, puisque tu te rends dans la Ville éternelle précisément pour y organiser de longue main la venue du roi des Francs et des Lombards...

— Patrice des Romains, plaça Leidrade.

— ... ainsi que le procès que tu as dit, poursuivit Childebrand, ce qui, je l'avoue, me préoccupe assez. Ce Clodoald pourra-t-il me servir ?

— Voilà un pari qu'un coup de dés ne saurait trancher, releva le Saxon. Ou bien ce Bavarois, plus perfide qu'un serpent, trahira — mais, à présent, au profit de qui et pourquoi ? — ou bien il respectera ses engagements, sous le regard de quelqu'un qui saura juger sa conduite, reconnaître ses mérites mais aussi sanctionner éventuellement son parjure, sous ton regard, ami.

— De toute façon, jugea le comte Childebrand, j'ai beaucoup plus à gagner qu'à perdre.

— Voilà donc qui est réglé, constata Leidrade.

— Un courrier avertira le roi de cette conclusion, indiqua le *missus dominicus*.

Par la suite, Erwin, ayant à ses côtés pour la circonstance le *magister Judaeorum* Everard, reçut solennellement une délégation de la communauté juive conduite par Ammorich et l'ancien gaon Mardochée, l'œil toujours aussi pétillant, et qui comptait dans ses rangs, outre le jeune Daniel, à titre exceptionnel deux femmes, Judith et sa sœur Dinah. Les ayant félicités pour l'aide qu'ils lui avaient apportée dans la répression de la conspiration, il leur offrit une copie richement illustrée du capitulaire par lequel le roi Charles leur garantissait la liberté pour leur culte et pour leurs activités. Après une réponse, d'un style ampoulé, déclamée par Ammorich, il accepta des mains de Dinah une corbeille de fruits, de celles de Daniel un tonnelet de vin.

Il eut ensuite une entrevue avec Nicomède accompagné par une douzaine de notables levantins.

— Les coupables ayant été châtiés, leur dit-il, il convient maintenant que vous repreniez vos activités sans entrave pour le bien du royaume et votre propre prospérité. J'entends qu'aucune attaque ne soit désormais prononcée contre vous, ni en paroles, ni en actes. En m'apportant, concernant Clodoald, l'aide que je vous avais demandée, vous avez fourni un gage de loyauté que votre conduite à venir ne manquera pas de confirmer.

Toutefois le missus refusa les cadeaux qui lui avaient été présentés, les jugeant bien trop somptueux.

Ses audiences se succédèrent rapidement, d'abord avec ses rachimbourgs et autres assesseurs de justice, ensuite avec les représentants des corps de métiers et des activités agricoles. Chacun eut sa part de louanges. Il réserva, en compagnie de ses assistants et en la présence de Childebrand et du frère Yves, une matinée entière aux miliciens qu'il passa une dernière fois en revue et auquel il lança son fameux « C'est bien, c'est très bien, mes fils ! » ajoutant toutefois : « Je suis fier de vous », ce qui suscita à la fois rires et émotion, des rires parce qu'on attendait cette formule rituelle, de l'émotion parce que, enrichie, elle valait tous les compliments. Il partagea avec eux une collation à l'issue de laquelle il annonça qu'Arnold était confirmé dans son commandement. A ce dernier, le comte Childebrand offrit un glaive court dans un fourreau damasquiné.

L'avant-veille du banquet qui devait marquer la fin de sa mission à Lyon, Erwin, alors qu'il prenait des notes en vue du rapport qu'il allait dicter à l'intention du roi, vit arriver dans sa chambre à l'*Auberge des Quatre Cavaliers* le garde de faction, venu lui dire que Jean demandait à être reçu.

Le valet se présenta avec un air à la fois embarrassé et décidé. Il lui annonça avec beaucoup de circonlocutions qu'il souhaitait épouser Lithaire et qu'avant toute démarche auprès de son père il sollicitait de son maître l'autorisation de se fiancer avec elle. Erwin attira son attention sur les difficultés de ce mariage : Jean entendait-il rester à Lyon et participer de quelque manière aux activités des saltimbanques ? Lithaire était-elle au contraire disposée à quitter son père, son frère, ses amis et la ville, pour aller vivre à Aix ? Aux réponses du jeune homme, le Saxon se rendit compte qu'elle envisageait sans déplaisir la perspective de s'installer non loin de la cour du roi Charles. Erwin subordonna toute décision de sa part à celle de Raoul.

Il n'eut pas à l'attendre longtemps. Le Rouvre, l'air préoccupé, vint lui indiquer que Lithaire lui avait fait part de son projet de mariage : si Jean lui demandait de l'épouser, elle l'accepterait de grand cœur. Récemment, elle avait renouvelé cette démarche en insistant sur l'urgence d'une réponse.

— J'avais pensé pour elle, dit Raoul le saltimbanque au bord des larmes, à un mari qui serait venu renforcer notre troupe. Mais si ce Jean l'épouse et reste ici, que ferai-je d'un gendre qui ne sait rien de notre art, et, s'il l'emmène au loin, que vais-je devenir sans elle ? Elle est tout pour moi, maître... Tu m'as offert généreusement tant de moyens nouveaux... Mais à quoi bon si elle n'est plus là ?

— Tu es son père, tu as tous pouvoirs, tu peux tout lui dicter, rappela l'abbé saxon.

— Est-elle fille à qui l'on dicte quelque chose ?

— Je crains que non. Alors résigne-toi ! Car il y a peu de chances que Jean, valet d'une mission royale, veuille rester ici où, d'ailleurs, il ne t'apporterait rien. Mais pense à ce qu'il pourra offrir à sa femme et à ses enfants : l'abondance et un rang ! Raoul, n'est-ce pas le destin des filles que de quitter leur famille pour en fonder une autre ? Et il te reste ton fils Lucien...

— Mais Lithaire si loin, seigneur, là-bas, au Nord !...

Après un silence, le missus reprit :

— Quant à ta troupe, le Rouvre, j'ai pensé à ceci : au moment de la répartition des esclaves, je te donnerai par préférence la possibilité d'en choisir deux, jeunes et vigoureux, pour que tu les formes à ta guise.

— Comment pourrai-je te remercier assez... Mais ma fille... ma Lithaire...

— Je comprends ta peine, trancha Erwin. Mais

il te faut te décider! Interdis-tu qu'elle épouse Jean ou puis-je annoncer leurs fiançailles à l'occasion de mon banquet d'adieu?

Le saltimbanque ploya le genou.

— Comment pourrais-je refuser à Lithaire le destin qu'elle a rencontré? murmura-t-il.

— Très bien, Raoul le Rouvre, bon serviteur du roi. Mais, crois-moi, Lyon n'est pas si loin d'Aix que cela.

Il allait se remettre à son rapport quand le factionnaire vint le prévenir que son assistant Timothée avait une communication urgente à lui faire. Le Grec, admis immédiatement, annonça au missus qu'Eldoïnus venait d'être victime d'une attaque d'apoplexie alors qu'il discutait avec Leidrade des affaires du diocèse. Erwin, reposant tablette et stylet, se leva sans mot dire et marcha un moment de long en large dans la pièce, marmonnant « Eldoïnus, Eldoïnus » avec un air méditatif. Il se tourna tout à coup vers le Goupil.

— Sais-tu pourquoi, lui dit-il, je n'ai rien entrepris contre lui?

— Sans doute l'as-tu estimé hors de cause, maître.

— Tu n'y es pas. La vérité, c'est que je n'ai pas cessé de me demander s'il était un brave homme de moine dépassé par les événements, aveugle et sourd à ce qui se passait sous son nez, ou bien un maître fourbe, complice retors des conspirateurs, jouant les benêts. Je n'ai pas pu décider. Dois-je croire à présent que le Ciel l'a jugé coupable et l'a puni en le frappant d'apoplexie au moment où il faisait compte rendu de ce qu'il avait fait, compte rendu peut-être fallacieux et pervers ?

— Pour ma part, je le croirais, ponctua Timothée.

— Curieux homme quand même... Je n'ai jamais pu tirer de lui que des jérémiades. S'en sortira-t-il ? Et comment ?... Tout cela est l'affaire de Leidrade maintenant...

— Ou plutôt de Dieu, maître...

— Oui, Goupil.

Le jour où devait se tenir le banquet, la veille du départ de la mission pour Aix, Erwin gagna à l'aube le promontoire d'où l'on apercevait la ville. Tandis que son cheval l'y menait à pas lents, il méditait sur les décisions qui avaient été prises concernant Marcellin et Clodoald. Il lui apparut clairement que l'évêque, qui allait être livré aux services pontificaux de Léon III, disparaîtrait à jamais, soit qu'il fût exécuté, soit qu'il fût enfermé jusqu'à sa mort dans un *in pace*[1]. Il constata que son sort lui était devenu indifférent, mais non celui de Clodoald. Il lui sembla assuré que celui-ci ferait désormais, pour ce qui réclamait notamment discrétion et secret, un serviteur loyal du roi Charles, et cela par nature, par goût et par intérêt, en commençant d'ailleurs par apporter à Childebrand une aide précieuse pour sa mission romaine.

Il arriva au promontoire au moment où le soleil se levait sur la ville. Chaque lieu, à présent, lui

1. Cachot ecclésiastique où les condamnés étaient parfois « oubliés ».

parlait. Il entr'aperçut, au-delà de la Saône, l'abbaye Saint-Martin-d'Ainay devant le portail de laquelle il avait trouvé le cadavre du maréchal Ebles, et où tout avait commencé... Comme c'était loin déjà... Près de l'église Saint-Paul il devina, plutôt qu'il ne vit, l'auberge où il avait établi son commandement, le quartier juif où Timothée avait échappé de justesse à un attentat, la forge dans la cour de laquelle le frère Antoine avait failli périr écrasé. Son regard s'attarda sur les bâtiments épis-copaux autour de la *maxima ecclesia* dédiée à Jean-Baptiste. Là s'était trouvé le nœud de vipères, le centre actif de la conspiration. Plus près de lui, il distingua le quartier où il avait laissé échapper des Syri bien suspects, ce qui l'amena à tourner son regard vers Fourvière où, dans la pier-raille, une salamandre était apparue au frère Antoine... Avertissement du destin? Il termina cet itinéraire du souvenir par un dernier coup d'œil sur ce lieu, où s'était terminée la folle équipée du comte Hugues, à la porte de ce couvent où une femme vindicative et orgueilleuse allait longue-ment et durement expier sa traîtrise.

Il eut une pensée pour tous ces humbles qui lui avaient prêté main-forte, inconnus de lui hier et qui maintenant avaient un visage et un nom. Il sourit : ces journées de la Salamandre seraient peut-être pour eux la grande affaire de leur vie, amplifiée et magnifiée au fil des ans par l'imagi-nation. Il s'attarda, regarda longuement, frissonna un peu, puis redescendit vers la ville.

Le séjour à Rome de Childebrand confirma en

tout point les prédictions du Saxon concernant celui que le comte avait accepté, à l'essai, comme conseil, et, d'autre part, l'évêque romain.

A la fin du mois de novembre de cet an 800, le roi Charles, qui n'était pas passé par Lyon, arriva à Rome. Le 1er décembre, il convoqua et présida une assemblée composée de dignitaires ecclésiastiques et laïques ainsi que de simples clercs, et chargée d'examiner les plaintes déposées contre Léon III.

Concluant une enquête commencée depuis de longues semaines, puis supervisée par le roi lui-même, et après débats, le pape, le 23 décembre, prononça le serment purgatoire qui consacrait son innocence.

Le jour de la Noël, à Saint-Pierre de Rome où Charles était venu prier, le souverain pontife lui posa sur la tête une couronne tandis que l'assistance, représentant le peuple romain, criait par trois fois : « A Charles Auguste, couronné par Dieu, grand et pacifique empereur des Romains, vie et victoire. »

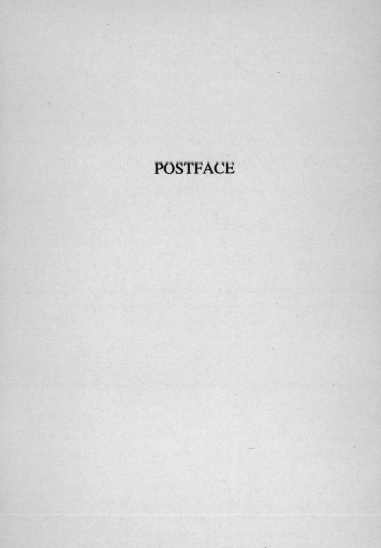

POSTFACE

En cette année 800 où l'abbé saxon Erwin est envoyé en mission à Lyon par Charles, roi des Francs et des Lombards, la constitution de ce qui est sur le point de devenir un empire a déjà été menée fort avant. Les territoires conquis ou sous contrôle s'étendent de la mer du Nord aux Pyrénées et à l'Italie centrale, de la côte Atlantique aux confins de la Bavière. Le roi Charles apparaît comme le souverain chrétien le plus puissant d'Occident, le bras séculier de la papauté.

Comment les « barbares » francs sont-ils parvenus à élever leurs chefs jusqu'à ce degré d'autorité ? Par la guerre et par les conquêtes. Des Mérovingiens comme Clovis, qui se convertit au christianisme, ou Dagobert régnaient déjà sur de vastes territoires. Mais la royauté mérovingienne dégénéra, le royaume se disloqua, des guerres intestines engendrèrent désordres et ravages. A la cour de certains rois, le pouvoir réel passa aux « maires du palais », chefs de clans puissants.

En Austrasie, dont la principale résidence royale était Metz et qui comprenait les territoires arrosés par le Rhin, la Meuse, la Moselle, l'Escaut... et même des pays du Massif central, ces maires du palais constituèrent une véritable dynastie avec des hommes tels que Pépin l'Ancien (début du VIIe siècle), Grimoald, Pépin de Herstal (fin du VIIe-début du VIIIe siècle). Leur pouvoir cependant vacillait à la mort de ce dernier quand l'un de ses fils, un bâtard, Charles, par une série de victoires reconstitua un royaume et écarta la menace d'une invasion de la Gaule en écrasant à Poitiers, en l'an 732, l'armée musulmane de l'émir d'Espagne Abd al-Rahmân qui périt au combat. Bien que cette victoire ait été loin d'empêcher définitivement les incursions des Sarrasins, elle valut à Charles Martel un regain de prestige et d'autorité.

Il revint à son fils, Pépin le Bref, de franchir le pas : celui-ci fit enfermer dans un couvent le « roi » mérovingien Childéric III, et se fit reconnaître lui-même comme roi par le « peuple » franc à Soissons, après quoi il reçut l'onction des mains de Boniface, évêque de Germanie, qui sera sanctifié. Il devenait ainsi élu de Dieu et non plus seulement du peuple.

En septembre 768, Pépin meurt après avoir ordonné (selon le principe que le royaume est propriété personnelle du souverain) le partage de ses possessions entre ses deux fils Carloman et Charles. La mort prématurée de Carloman en 771 laisse Charles seul à la tête de l'héritage royal. Il se lance alors dans une série de campagnes pour affermir son autorité et agrandir son territoire. C'est ainsi qu'à son titre de roi des Francs il peut ajouter celui de roi des Lombards quand il eut vaincu ces derniers.

La société qui s'est peu à peu mise en place n'a plus que de lointains rapports avec la Rome antique. Elle s'inspire, certes, fortement de ce qu'étaient les structures et coutumes « barbares », notamment franques, mais elle s'en différencie de plus en plus. C'est un monde nouveau que celui dans lequel Erwin mène ses investigations, nouveau dans ses structures de production, dans son organisation sociale, dans ses pouvoirs, nouveau quant aux pratiques religieuses, quant au rôle de l'Église et quant aux mentalités. C'est un monde à la fois familier et étrange, déconcertant souvent en dépit de sa logique apparente, un monde enfin qui se veut plus policé, mais où la violence affleure constamment.

Tous ces territoires, dont beaucoup ont été récemment conquis et placés sous l'autorité du roi par les armes, sont loin de constituer un tout homogène. Charles a largement préservé les particularités politiques, juridiques et autres de chacune des composantes de son royaume. Les habitants du sud de la Francie conservent vivace le souvenir de leur passé gallo-romain. Fiers de leur ascendance, ils considèrent les envahisseurs du Nord avec dédain. Ils continuent à habiter des *villae* à la romaine, ou s'y efforcent, en contraste avec le type de demeure qui prévaut au nord et à l'est. Les noms de personnes continuent à rappeler les origines diverses des uns ou des autres : ceux qui sont de consonance wisigothique, lombarde, franque, burgonde, etc., n'ont pas chassé les noms latins. Pas d'unité linguistique non plus. Le latin est certes langue officielle, celle des actes, de la correspondance, celle de la diplomatie, celle aussi de la culture et de la religion. Mais, à la cour de Charlemagne, on utilise surtout le francique, langue germanique. Les parlers burgonde, frison, alémanique, lombard, sans parler du basque ou du breton, sont bien vivants. Quant au latin populaire, en terre gallo-romaine, il a évolué en dialectes romans qui se différencient de plus en plus les uns des autres. Le latin classique n'est plus entendu du peuple, ce qui engendre une différence sociale et culturelle considérable entre ceux qui le parlent et l'écrivent et les autres. Ainsi l'unification politique, la réunion de territoires divers, la constitution d'un empire étendu sous une même souveraineté ont laissé subsister d'énormes différences d'un territoire à un autre. Comment cependant instaurer et maintenir une cohésion indispensable ?

Pour y parvenir, Charlemagne a imposé à peu près partout une administration reposant sur deux piliers : le comte (aux frontières le marquis) et les *missi dominici*. Chaque territoire est donc administré par un « compagnon » du souverain, un comte, choisi généralement au sein d'une grande famille franque. Il est nommé par le roi, reçoit de lui, avec sa charge, le domaine devant assurer sa subsistance et celle de sa famille, et peut être révoqué par lui. Ses pouvoirs qui sont comme une délégation de ceux du souverain comprennent le maintien de l'ordre, l'exercice de la justice, les services militaires, les travaux publics. Il lève les impôts et assure l'exécution des capitulaires (ordonnances) royaux. Il peut lui-même en édicter pour son comté. Il perçoit un casuel, en particulier un pourcentage sur les peines pécuniaires que son tribunal prononce, des taxes particulières, et compte surtout sur les revenus du domaine qui lui est alloué et les corvées qu'il peut imposer à ceux qui y travaillent. Comme dans son lot peuvent figurer des terres « ecclésiastiques », des litiges opposent souvent comtes et évêques ou encore comtes et abbés.

Le comte est assisté d'un vicomte nommé par le roi sur sa proposition et d'autres fonctionnaires subalternes. Le vicomte et ces derniers exercent les responsabilités que leur délègue le comte dans la gestion du « pays ». Chacun d'eux peut recevoir un domaine à titre précaire.

Cependant, comté et diocèse ayant souvent les mêmes limites, les attributions et pouvoirs de l'évêque, nommé en fait par le roi et dépendant de lui, entrent parfois en concurrence avec ceux du comte, d'autant que Charles le Grand peut privilégier l'un ou l'autre de ses représentants. En dépit des distinctions qui séparent, en principe, pouvoir temporel et pouvoir spirituel, il considère *ses* évêques comme des administrateurs à peine différents des autres.

Pour bien tenir en main ses royaumes, le roi dispose d'un instrument redoutable et redouté, l'« envoyé du maître », le *missus dominicus*, plus connu sous sa forme au pluriel *missi dominici*, car ils vont presque toujours par deux : un comte et un évêque (ou un abbé). Le souverain leur assigne pour chacune de leurs inspections un territoire sur lequel ils ont plein pouvoir pour tous les problèmes de gestion et d'administration, de justice, de conscription, de propriété, d'imposition, de statut personnel et même pour les affaires ecclésiastiques. Les *missi dominici* doivent non seulement procéder aux enquêtes et vérifications nécessaires, mais encore se saisir des litiges portés devant eux, soit pour les juger eux-mêmes, soit, s'ils dépassent leur compétence, pour en référer au tribunal du roi. Ces pouvoirs très étendus des *missi* sont définis par des ordonnances (capitulaires) portant le sceau même du souverain.

La société carolingienne comporte fondamentalement deux catégories de personnes : les puissants et le peuple. Les puissants constituent une aristocratie qui fournit aux royaumes dont Charles est le souverain leur haut personnel laïque et religieux : dignitaires de la cour, généraux, comtes et marquis, évêques et abbés, etc. Ils sont généralement, mais pas nécessairement, d'origine franque ; beaucoup sont apparentés, fût-ce lointainement, au roi. Ils sont à la tête de domaines qui peuvent atteindre de grandes dimensions, des milliers et même des dizaines de milliers d'hectares lorsqu'il s'agit de parents et proches du souverain, de grandes familles et de puissantes abbayes, sans parler des biens de la couronne. Des intendants veillent férocement, mais pas forcément avec efficacité, au rendement de ces domaines.

Le peuple, lui, ne comprend, en principe, que deux sortes de personnes : les libres et les non-libres. Les premiers disposent donc librement d'eux-mêmes et de leurs familles. Ils prêtent serment au roi, lui doivent le service militaire (l'ost), peuvent participer à sa justice. Les autres n'ont aucun droit, sont soumis entièrement aux tâches et contraintes que leur impose leur maître, voire à ses caprices; celui-ci peut rompre à sa guise leurs unions matrimoniales; leurs enfants et eux-mêmes peuvent être vendus. Tel est le statut des esclaves qui demeurent nombreux dans le royaume, car les conquêtes et les déportations en génèrent toujours de nouveaux. Sont esclaves ceux qui sont nés de parents esclaves, voire d'un seul parent; ceux qui ont été condamnés pour dettes ou autre délit jugé grave peuvent être réduits à la servitude, ce qui, d'ailleurs, entraîne de nombreux abus judiciaires.

Dans les faits, au temps de Charlemagne, entre ces deux statuts extrêmes — libres et non-libres — se situent de nombreux états intermédiaires, la situation variant souvent d'une région à l'autre, voire d'un territoire à un autre dans une même région.

Au centre du système agraire, concernant les exploitants directs, se situe le manse (de *mansio* : maison), ensemble de labours et de pâturages, comprenant verger, potager, taillis, et naturellement demeure, étable, grange..., d'une surface jugée suffisante pour la vie d'une famille. Sa superficie varie considérablement d'un pays à l'autre, d'un site à l'autre. Elle tourne autour de dix bonniers (un bonnier valant très approximativement un hectare et quarante ares, soit 14 000 m^2).

Les paysans libres disposent au moins d'un manse. Mais ils peuvent acquérir d'autres terres ou en prendre en location. Certains se trouvent donc à la tête de plusieurs manses. Cependant, ils sont aussi menacés par l'avidité des puissants qui cherchent à s'approprier tout ou partie de leurs biens, voire à les réduire à l'état de colons, usant parfois à cette fin, de manière abusive, de leurs pouvoirs.

Le domaine dont dispose un maître (par exemple un comte) comporte généralement deux sortes de terres : celles qu'il cultive ou plutôt fait cultiver directement, par des esclaves, celles qu'il confie à des tenanciers ou colons. Parfois ceux-ci disposent d'un manse, voire davantage, par famille, parfois chaque manse est divisé en tenures plus ou moins fécondes. Il arrive ainsi que trois ou quatre familles de colons soient installées sur un seul manse.

Quant aux esclaves, le maître leur confie des tâches agricoles sur son domaine propre ainsi que (dans sa *villa*) des besognes artisanales. Cependant, du temps de Charlemagne, nombreux sont ceux qui, affranchis ou non, sont « casés », c'est-à-dire reçoivent maison et tenure, devenant en quelque sorte des colons.

En somme, le statut des uns et des autres est moins rigide que les apparences juridiques pourraient le laisser croire, des glissements vers le « haut » ou le « bas » étant susceptibles d'intervenir sans cesse. Ce qui ne change guère, ce sont les redevances et services que doivent au maître tous ceux qui vivent sur une tenure : des volailles et des œufs, du bétail et du lait, du grain, des légumes, du vin, du foin, etc., et même de petites sommes d'argent. Il leur faut assurer les labours, l'ensemencement, l'engrangement, la fenaison, la garde des troupeaux... ainsi que les charrois de toute sorte, souvent même la vente au marché rural et, en outre, participer aux travaux de gros œuvre et d'entretien des voies de communication, etc.

Les hommes libres, qui ont prêté au roi serment de fidélité, lui doivent d'abord le service d'ost. Chaque année, le souverain, par l'intermédiaire des autorités locales et des *missi*, convoque à ce service armé un pourcentage de mobilisables qui dépend des campagnes envisagées. L'endroit où le rassemblement doit s'effectuer s'appelle Champ de Mai car la revue des troupes a lieu en ce mois-là.

Chaque homme doit se présenter avec son cheval et ses armes, à savoir une épée longue, une épée courte, une lance, un écu (bouclier), un arc et douze flèches, et pour les chefs, en outre, une broigne (cuirasse de cuir couverte de plaques de métal) et un casque. Il doit apporter avec lui trois mois de vivres. Le tout est à ses frais et représente environ cinq sous d'or, somme considérable. Il faut quatre manses environ pour pourvoir à l'équipement d'un combattant. Ceux qui les possèdent sont mobilisables. Ceux qui ne les possèdent pas s'associent, et l'un d'eux peut être appelé pour l'ost. Dans les comtés et pays, une partie du contingent peut être affectée, notamment par les *missi*, à la constitution d'une garde locale.

Les hommes libres cherchent souvent à échapper à cette obligation du « ban de l'ost » qui pèse lourdement sur le royaume (Charlemagne a mené plus de cinquante campagnes en quarante-six années de règne). Mais les dispenses sont rares. Certains essaient de monnayer une exemption auprès des services du comte, de payer un remplaçant ou de se faire engager dans la milice du lieu. Mais l'ost est, du temps de Charlemagne, sous une surveillance rigoureuse. Les dérobades sont lourdement sanctionnées : amende de soixante sous d'or, servitude pour les insolvables. Quant à la désertion, elle est punie de mort.

Les hommes libres sont aussi astreints à l'impôt (ce qui ne veut pas dire que les colons y échappent forcément). En fait, la perception des impôts directs dus au trésor royal est très irrégulière et dépend souvent du comte qui en assure la collecte. Ils consistent en un cens (soit par personne, soit sur les biens), lequel tend à disparaître. Ce n'est pas le cas de la dîme qui est au bénéfice exclusif de l'Église et qui est perçue sans défaillance.

Les ressources fiscales essentielles proviennent des tonlieux qui sont des droits sur les transports par route ou par eau, sur le passage des ponts et des écluses, sur l'accès aux marchés, etc. Il ne s'agit en principe que de taxer le commerce. En fait, ces tonlieux, perçus sur place par des agents souvent avides, donnent lieu à de fréquents abus et font l'objet de récriminations populaires.

Mention à part doit être faite des « dons » que la couronne demande aux puissants, sorte d'impôt sur la fortune réputé volontaire, en fait obligatoire.

Le roi peut aussi compter, outre les revenus de ses domaines, sur les bénéfices provenant de la frappe des monnaies, laquelle est effectuée en plusieurs villes du royaume, et sur les droits de chancellerie. Le souverain conserve comme biens propres le butin des guerres, ce qui lui permet de récompenser les fidélités et les courages.

Le pouvoir du roi repose donc moins sur la fiscalité que sur ses forces armées, son administration, largement nourrie sur place en quelque sorte, et, naturellement, sur l'exercice de la justice, en ce sens qu'il demeure, pour toute cause importante, le recours, l'arbitre, bref l'autorité suprême, et qu'elle est rendue en son nom.

La justice ne concerne guère que les hommes de statut libre, les autres étant presque entièrement soumis à l'arbitraire de leurs maîtres. Il n'existe pas de code valable pour tous et par tout le royaume. Chacun doit être jugé selon son statut juridique, celui que lui confère son appartenance ethnique : les Francs saliens sont soumis à la loi salique, les Burgondes à la loi gombette établie par leur roi Gondebaud... en 502, les Gallo-Romains au droit romain, etc. Cette personnalité des lois entraîne une grande diversité des peines et suppose chez les juges une connaissance étendue des droits et des coutumes.

En matière de justice, le comte, dépositaire de l'autorité royale, occupe une place essentielle. Devant son tribunal viennent toutes les causes majeures, notamment les affaires criminelles, les autres étant du ressort de subordonnés, vicaires ou centeniers. Ce tribunal, le « plaid » comtal, est composé, outre le comte lui-même, d'assistants appelés « rachimbourgs » ou en latin *boni homines* qu'on traduira par « prud'hommes » ou « notables ». Peu à peu, ils sont remplacés, en raison de la complexité du droit, par un corps de magistrats professionnels, les *scabini*, scabins ou échevins, qui éclairent le jugement du comte.

Tout délit ou crime doit être porté devant le tribunal par un plaignant, sauf lorsque l'autorité du roi et les intérêts du royaume sont en cause, auquel cas le plaid comtal s'en saisit de lui-même. Il en est ainsi lorsqu'il y a infraction au « ban » royal, c'est-à-dire aux ordres proclamés du souverain et qui concernent notamment les atteintes à l'ordre public et au bien d'autrui, les rapts, la fraude monétaire et fiscale, la désertion, etc. Il s'agit donc d'un domaine judiciaire très étendu et qui d'ailleurs tend encore à s'étendre.

Quant à la procédure, elle demeure fondée largement sur les déclarations sous serment et les témoignages (les faux serments, le parjure étant châtiés sévèrement), sur l'aveu, pouvant, en certains cas, être obtenu par la torture, et, si nécessaire, sur le jugement de Dieu, l'ordalie. L'accusé peut subir alors l'épreuve des braises ardentes, de l'eau bouillante... Lorsque deux justiciables soutiennent des opinions radicalement contradictoires, on peut recourir au duel judiciaire, Dieu étant censé soutenir le juste; le vainqueur est innocenté, le vaincu, s'il n'est pas mort, condamné. Erwin le Saxon, quant à lui, fait partie d'une école nouvelle qui commence, parallèlement aux procédures tra-

ditionnelles, à utiliser les enquêtes pour détermi-
ner innocence ou culpabilité. Il est vrai qu'il dispose, pour ce faire, de toute l'autorité d'un
« envoyé du souverain ».

Car les *missi dominici* possèdent des droits de
justice étendus. Ils peuvent présider le tribunal du
comté ou convoquer des assises exceptionnelles.
Ils peuvent juger tous les représentants du roi sur
leur territoire de mission, casser une sentence du
comte et faire venir devant eux une cause en
appel. Eux seuls peuvent trancher les litiges suc-
cessoraux... Lorsqu'il s'agit d'affaires d'importance, mettant notamment en cause des Grands du
royaume, ils peuvent décider de les porter devant
le tribunal du roi. Celui-ci juge en dernier recours,
y compris pour les causes qui n'ont pas été tran-
chées par les tribunaux ecclésiastiques. Le souverain ne préside lui-même ce tribunal royal que
pour les affaires majeures ou qu'il juge telles.

Selon le principe général, les condamnations,
quand il s'agit d'hommes libres, consistent en
paiement de compensations en argent sanctionnant
délit, agression et même meurtre. Leur montant,
selon un tarif détaillé et précis, est proportionnel à
la gravité des dommages, blessures ou meurtre. Il
est d'autre part fixé en fonction du statut social de
la victime. Chacun a sa valeur pécuniaire, son
wergeld. Plus on est « grand », plus on vaut cher,
mieux on est protégé. Cependant, surtout lorsque
l'accusé n'est pas un homme libre, ou encore
quand le crime est jugé exceptionnellement grave,
des peines beaucoup plus lourdes peuvent être
prononcées : réclusion dans un monastère, servi-

tude, châtiments corporels, yeux crevés... et la mort sous des formes plus ou moins cruelles. Il faut noter que dans les cas où une amende est infligée par le « plaid » du comte, celui-ci en retient une fraction comme rétribution de ses services, ce qui explique qu'il ait facilement la main lourde.

Au centre de tout le dispositif du pouvoir, en matière judiciaire comme dans les autres, se situent donc le roi et sa cour, c'est-à-dire la chancellerie avec ses clercs, ses notaires[1] qui rédigent les capitulaires, assurent la correspondance, le service des archives, etc., le camérier ou chambellan qui veille sur le trésor, les officiers de bouche comme le sénéchal ou le bouteiller, le comte de l'étable (connétable) qui, avec les *mariscalci*, les maréchaux, ses adjoints, s'occupe des chevaux... sans oublier les fils, filles, cousins et autres parents de Charles, ses familiers et ses nombreux amis. Parmi ceux-ci figurent, à l'époque où se déroule l'enquête d'Erwin à Lyon, de nombreux savants, lettrés, poètes, érudits que le roi a séduits, qu'il a su s'attacher et dont il a réuni les meilleurs en une Académie de beaux esprits : le grammairien et poète Pierre de Pise, le théologien Paulin de Frioul, le chroniqueur Paul Diacre, l'astronome Dungal, le géographe Dicuil, l'évêque d'origine hispanique et grand helléniste Théodulf, Angilbert, Clément le Scot et surtout Alcuin, Angle

---

1. Du latin *notare* : Le notaire est celui qui prend des notes, un « secrétaire », voire un gestionnaire.

d'origine, et qui eut, à partir du moment où il se mit au service du souverain franc, la haute main sur ce qu'on appelle la Renaissance carolingienne.

Pour Charlemagne et ses sages, il s'agit de faire de l'Occident le centre rayonnant du christianisme, de renouveler l'étude et la connaissance des poètes, philosophes, historiens et savants latins, voire grecs, et, à la base, d'ouvrir auprès des évêchés et monastères de nombreuses écoles afin que le royaume dispose de clercs, de notaires, d'administrateurs, de scabins convenablement instruits, d'évêques sachant célébrer les offices et prêcher, d'abbés compétents, de comtes et de marquis capables de gouverner. « Du latin, de la grammaire, du calcul, de la lecture, du chant et de bons livres », telle est la recommandation impérative que Charles le Grand adresse sans cesse à ceux qui le servent.

Elle comporte deux obligations : l'une concerne les moyens, l'autre les hommes. Quant aux moyens, il s'agit d'abord de remédier à une pénurie de manuscrits. Les textes sacrés dont disposent au départ évêques, prêtres, moines et abbés sont le plus souvent fautifs, lacuneux, confus. Quant aux classiques latins, tout en souffrant des mêmes défauts, ils n'offrent qu'un pâle reflet, et déformé, de la culture antique. Il est donc primordial de doter les bibliothèques de manuscrits nouveaux permettant une connaissance plus approfondie, plus étendue, plus éclairée de cette culture. Ces manuscrits, il faut les acheter, souvent à prix d'or, et les acheminer sous bonne garde. Il faut de même se procurer des textes sacrés fiables, complets et en ordre. Dès lors, on peut corriger ceux que l'on possède déjà. Il faut faire de tous ces manuscrits des copies nombreuses et exactes. Peuvent alors être établis des manuels à l'usage de tous ceux qui sont invités fermement à étudier les fondements du savoir : les enfants (essentiellement de notables), ces notables eux-mêmes, les Grands, les gens de cour, le roi Charles donnant l'exemple.

La tâche est immense : inventorier les bibliothèques, vérifier l'état et la valeur des manuscrits, visiter les *scriptoria* où les moines copient et recopient les textes, en s'assurant de leur compétence et sérieux, contrôler les connaissances de ceux qui doivent jouer un rôle essentiel dans la diffusion du savoir, à commencer par les clercs, évêques ou abbés, faire acheter les textes indispensables qui viennent souvent de loin, d'Italie, voire de l'Orient byzantin ou musulman, par des filières complexes, s'occuper du système scolaire peu à peu mis en place, non sans difficultés ni lacunes, car les enseignants qualifiés n'abondent pas.

Pour mener à bien toutes ces tâches, les proches du roi sont largement mis à contribution (Alcuin s'épuisera à la besogne). Eux-mêmes ne peuvent compter que sur un nombre insuffisant d'érudits parmi lesquels figurent assez souvent des clercs d'origine irlandaise, angle ou saxonne comme l'abbé Erwin. Ceux-ci doivent parcourir des milliers de lieues, d'un comté à l'autre, d'un diocèse à l'autre sur la vaste étendue d'un empire où les communications ne sont ni faciles, ni rapides. Aussi tout déplacement, à commencer par ceux

316

des *missi dominici*, est-il l'occasion d'inspections concernant le réveil culturel de l'Occident.

Au centre de cet effort, ainsi que dans tous les autres domaines, se situent Charlemagne et sa cour. Comme le roi, sauf dans les dernières années de son règne, est constamment en campagne, il s'agit largement d'une cour itinérante. Peu à peu, cependant, Aix, où Charles a fait construire une merveille de chapelle, va devenir sa capitale favorite, d'autant qu'il est de plus en plus difficile de promener çà et là des services centraux de plus en plus lourds. Aix-la-Chapelle va donc apparaître comme le centre de l'univers carolingien, le lieu où il fait bon vivre auprès d'un monarque dont le règne est exceptionnel.

Pour ceux de son époque, cet univers carolingien apparaît comme la réalisation d'un grand dessein, un motif d'orgueil, une ère de relative stabilité après des siècles de désordres, une unité occidentale retrouvée, et sous la bannière du Christ, après des morcellements anarchiques. On pense à Rome, mais on vit une aventure nouvelle.

Pour nous, il s'agit de la mise en place de structures religieuses, ethniques, culturelles et politiques qui vont marquer durablement l'histoire, heureuse ou tragique, de l'Europe et continuent d'influencer notre temps. Cela ne vaut pas seulement pour les grands traits de sa destinée. Le monde carolingien est à la fois très loin et très proche de nous dans sa quotidienneté. C'est là sans doute son intérêt. Là réside son attrait.

Je voudrais exprimer ici mes remerciements à

Simone Buffard et aux érudits lyonnais qui ont facilité ma documentation. Ils m'ont permis de récolter nombre de détails et circonstances permettant d'établir ce récit, notamment en ce qui concerne les dimensions et l'allure de Lyon à l'époque carolingienne, les activités principales de la ville et de la région sans oublier maintes péripéties significatives.

Sur l'époque et la société carolingiennes on consultera avec profit :

Louis Halphen   *Charlemagne et l'Empire carolingien*, Albin Michel

Pierre Riché   *Les Carolingiens, une famille qui fit l'Europe*, Pluriel-Hachette

                     La Vie quotidienne dans l'Empire carolingien, Hachette

Laurent Theis   *L'Héritage de Charles*, Éditions du Seuil-Histoire

Philippe Wolff   *L'Éveil intellectuel de l'Europe*, Éditions du Seuil-Histoire

et aussi :

Jacques Le Goff   *La Civilisation de l'Occident médiéval*, Arthaud, collection Les Grandes Civilisations

Éginhard   *La Vie de Charlemagne*, traduction et annotations de Louis Halphen, Éditions Les Belles-Lettres

ACHEVÉ D'IMPRIMER SUR LES PRESSES
DE COX & WYMAN LTD. (ANGLETERRE)

N° d'édition : 2567
Dépôt légal : septembre 1995
Imprimé en Angleterre